# Mulheres de **Cabul**

Harriet Logan

# Mulheres de **Cabul**

4ª reimpressão

Ediouro

**Mulheres de Cabul**
Título original: Unveiled - Voices of women in Afghanistan

© Copyright 2002 by Harriet Logan
Publicado mediante acordo com Harper Collins, Publishers, Inc.

As fotografias da década de 1970 nas páginas XXII, 2 e 3 são cortesia de Lawrence Bryun Rapho.
As demais fotografias das mulheres nos anos 1970 são cortesia das próprias mulheres.

Direitos cedidos para esta edição à
EDIOURO PUBLICAÇÕES S.A.
Rua Nova Jerusalém, 345 – Bonsucesso
CEP 21042-235 – Rio de Janeiro – RJ
Tel. (21) 3882-8338 – Fax (21) 2560-1183
www.ediouro.com.br

A GERAÇÃO EDITORIAL É UM SELO da EDIOURO PUBLICAÇÕES
GERAÇÃO DE COMUNICAÇÃO INTEGRADA COMERCIAL LTDA.
Rua Major Quedinho, 111 – 20º andar
CEP 01050 -904 – São Paulo – SP
Tel. (11) 3256-4444 – FAX. (11) 3257-6773
www.geracaobooks.com.br

Editor e Publisher
**Luiz Fernando Emediato**

Diretora Editorial
**Fernanda Emediato**

Design Gráfico
**Bau-da Design Lab**

Tradução
**Celeste Marcondes**

Capa
**Megaart Design**

Revisão
**Paula Thompson**

Dados Internacionais de Catalogação (CIP)
(Câmara Brasileira do Livro, SP, Brasil)

Logan, Harriet
    Mulheres de Cabul / Harriet Logan ; [tradução Eyes on the Road].
-- São Paulo : Geração Editorial, 2006.

    Título original: Unveiled.

    1. Mulheres - Afeganistão - Cabul - Condições sociais  2. Mulheres - Afeganistão - Cabul - Condições sociais - Fotografias  3. Mulheres - Afeganistão - Cabul - Condições sociais - Entrevistas  4. Mulheres no Islã - Afeganistão  5. Repórteres e reportagens  I. Título.

06-7023                                                         CDD-305.4209581

**Índices para Catálogo Sistemático:**
1. Mulheres no Afeganistão : Condições sociais :
       Sociologia         305.4209581

2006
Impresso no Brasil
Printed In Brazil

**ESTE LIVRO É DEDICADO A**
MEUS FILHOS, JACKSON E FREDDIE,

E AO MEU MARIDO, ANDY.
SEM SEU AMOR E APOIO,
EU NUNCA TERIA RETORNADO AO AFEGANISTÃO.

E ÀS MULHERES AFEGÃS:
QUE POSSAM ENFIM HABITAR UM PAÍS QUE AS RESPEITE
E OFEREÇA TUDO AQUILO A QUE TÊM DIREITO.

# SUMÁRIO

| | |
|---|---|
| xi | INTRODUÇÃO |
| 1 | CABUL 1970: ANTES DO TALEBAN |
| 4 | ALGUNS DECRETOS DO TALEBAN |
| 7 | CABUL 1997: SOB O DOMÍNIO DO TALEBAN |
| 11 | JAMILA E FERSITTA |
| 17 | MARINA |
| 21 | FAHRIDA |
| 22 | DEZEMBRO 2001: A VIDA APÓS O TALEBAN |
| 25 | SHAFIKA |
| 31 | ROYA |
| 33 | LATIFA |
| 39 | YELDA |
| 41 | SOVITA |
| 43 | AQELA |
| 49 | NOORIA |
| 53 | DISTRIBUIÇÃO DE ALIMENTOS |
| 57 | ZARGOONA |
| 63 | SHAFIKA HABIBI |
| 67 | DURKHANAI |
| 75 | MAKY |
| 79 | KHANEMGUL |
| 81 | PALWASHA |
| 85 | HAMIDA |
| 87 | ANISA |
| 91 | SANAM |
| 93 | LATIFA |
| 95 | NAHED |
| 97 | SHAMA |
| 99 | LAILA |
| 103 | CABUL 2001 |
| 106 | AGRADECIMENTOS |

A estrada para Cabul.

# INTRODUÇÃO

DEZEMBRO DE **1997** | **SOB O DOMÍNIO DO TALEBAN**

**EM DEZEMBRO DE 1997,** fui convidada pela *London Sunday Times Magazine* para ir ao Afeganistão. Há quinze meses o Taleban assumira o controle do país, após três anos de confrontos sangrentos com os mujahideen. Essa última batalha foi mais um capítulo da longa história de guerras no Afeganistão.

Eu sempre quis visitar o Afeganistão. Não conseguia imaginar um país com uma história mais fascinante e um presente mais vibrante, e larguei tudo para aceitar a missão.

Um jornalista do *Sunday Times* e eu embarcamos no avião para Peshawar, próximo à fronteira noroeste do Paquistão, onde passamos a noite a caminho do Afeganistão. Fomos aos mercados lotados para comprar *shalwar kameez* (as camisas longas e calças largas usadas pelos homens e mulheres afegãos e paquistaneses) e alguns mantimentos – para nos prevenir antes da chegada a Cabul. Pela manhã, fomos buscar nosso guarda da Khyber Pass (passagem montanhosa na fronteira entre Paquistão e Afeganistão) no Ministério do Interior. Era um homem de idade que encontramos sentado diante do táxi, segurando sua velha espingarda. Temi pela nossa segurança, caso algo acontecesse!

Cruzamos a fronteira da cidade, passando pelo famoso mercado negro onde é possível adquirir qualquer tipo de armamento imaginável, desde um Kalashnikov até um tanque de guerra. Adentramos a Khyber Pass, onde um desenho malfeito de duas armas cruzadas e a inscrição SEJA BEM-VINDO – RIFLES KHYBER PASS foram esculpidos na rocha das montanhas. Torkham, a passagem na fronteira entre Paquistão e Afeganistão, estava cheia de caminhões, automóveis e pessoas indo e vindo entre os dois países. Rostos e mãos colavam-se às janelas de nosso carro, fazendo-nos sentir como peixes num aquário, e as crianças mendigavam por comida.

Nossos passaportes e vistos foram inspecionados no escritório da imigração e copiados para um velho arquivo. Trocamos nosso táxi paquistanês por outro afegão e passamos pela cerca de arame farpado que delimita a fronteira afegã. Ao longo de toda a estrada, esvoaçavam as bandeiras brancas de o Taleban, hasteadas e flutuantes – algumas pequenas como lenços sobre os prédios que ladeavam a estrada, outras bem altas sobre as colinas.

Nosso motorista riu com sarcasmo ao nos mostrar as fitas cassete escondidas dentro do carro, e sacudia a cabeça diante dos regulamentos absurdos do Taleban. Sempre que um posto de fiscalização se aproximava ele conferia se minha cabeça estava suficientemente coberta, e se não estávamos fazendo nada que pudesse atrair ainda mais a atenção do Taleban, além do fato de sermos ocidentais. (No decorrer da viagem, meu motorista e o intérprete foram espancados porque meu véu escorregara um pouco para trás, deixando entrever uma pequena mecha de cabelo quando eu saía do carro).

Cochilamos no assento traseiro do carro enquanto cruzávamos as planícies nos arredores de Jalalabad. Apesar do frio intenso daquele dia, os afegãos costumam descrever a região como "tropical", e de fato o verão traz calor suficiente para o plantio de tangerinas, laranjas e romãs, à venda nos pequenos estabelecimentos à beira da estrada. Aqui também são cultivadas as papoulas do ópio, apesar de o Taleban negar o fato perante a ONU e os EUA.

Em certo ponto da viagem, a estrada foi gradualmente chegando ao fim, dando lugar a uma trilha poeirenta e esburacada que exibia as cicatrizes dos anos de confronto e da passagem de tanques. A poeira, fina como talco, tornou-se insuportável. Cobria nossos cílios e parecia permear tudo ao redor; temi pela segurança de minhas câmeras ao ver que uma grossa camada de poeira cobria as malas onde estavam guardadas.

Passamos por postos e mais postos de fiscalização com soldados Talebans em jejum (era o mês santo do Ramadã), e cutucavam uns aos outros diante da rara presença de ocidentais. Apesar do trajeto de menos de 160 km, levamos quase seis horas até Cabul, e já escurecia quando chegamos.

Éramos os dois únicos convidados no Hotel Intercontinental, de corredores cavernosos e vazios, muitos deles sem as paredes externas, destruídas em bombardeios. O hotel estava muito frio, e todos os aquecedores elétricos disponíveis foram colocados em nossos quartos. Na manhã seguinte, nos registramos no Ministério de Assuntos Internos. Fotografar pessoas era ilegal, segundo a lei do Taleban, então eu disse que estava no país para fotografar "a destruição causada pela guerra". Espantosamente, eles pareceram acreditar, mas ainda assim designaram um motorista e um intérprete do Taleban para nos vigiar de perto. Durante seis dias ambos compareceram religiosamente, todas as manhãs, à recepção do hotel, e meu colega os despistava para que eu pudesse visitar as mulheres sem ser notada.

Encontrei as mulheres que entrevistei e fotografei em 1997 e 2001 graças à PARSA (Physiotherapy and Rehabilitation Support for Afghanistan – Auxílio de Fisioterapia e Reabilitação para o Afeganistão), pequena organização não-governamental dirigida por Mary MacMakin, uma enérgica senhora norte-americana com mais de quarenta anos de experiência no país. Muitas delas mencionam Mary em suas entrevistas – vêem nela uma mentora, empregadora, amiga e defensora de seus direitos. Com um orçamento pequeno e uma dedicação espantosa, a PARSA atua desde 1996 no Afeganistão, tendo como objetivo melhorar a vida das pessoas. Promove diversos projetos, como escolas caseiras, cursos de tecelagem e costura, instrução e educação para viúvas de guerra. A PARSA opera de forma direta com suas beneficiárias, e assim consegue manter uma extensa rede de mulheres. As mulheres que a PARSA me apresentou foram extremamente corajosas ao conversar com uma ocidental naquela época.

Um decreto do Taleban, que contava com o apoio e a fiscalização da polícia religiosa, proibia as mulheres de entrarem no carro ou mesmo conversarem comigo. O risco que elas corriam ao se deixarem fotografar era ainda maior, já que o Taleban considerava a fotografia uma forma de idolatria. Mas essas mulheres estavam dispostas a assumir esse risco, porque acreditavam que o mundo precisava saber o que acontecia com elas. Elas sempre me diziam: "Fomos esquecidas e precisamos do direito de falar. Se ninguém ouvir o que temos a dizer, nada irá mudar".

Eu e minha intérprete, Marina, éramos praticamente contrabandeadas para dentro dos lares dessas mulheres, que sempre me recebiam com muito carinho e gentileza. Precisávamos nos manter permanentemente atentas às pessoas que nos viam entrar nessas casas, para que não fôssemos denunciadas. Quase sempre, as mulheres me pediam para vestir uma *burkha* antes de ir de uma casa à outra, e me emprestavam seus sapatos para que ninguém notasse que os meus não eram tipicamente afegãos.

A cidade estava coberta de neve quando subi a íngreme ladeira que leva à casa de Shafika. Ela e Marina precisavam me ajudar, porque andar com a *burkha* era muito difícil, ainda mais com as minhas câmeras escondidas sob a veste.

O beijo nas bochechas é a saudação tradicional das mulheres afegãs. Quando eu entrava em suas casas e tirava a *burkha* de meu rosto, as mulheres seguravam minha face com as duas mãos e me beijavam repetidamente, ao mesmo tempo rindo de meus "trajes masculinos". Deve ter sido estranho para elas receber uma ocidental dentro de casa. Apesar de estarmos no Ramadã, faziam questão de me oferecer chá de ervas, preparado dentro de enormes garrafas térmicas adornadas, e enchiam a xícara no momento em que eu terminava de beber. Traziam também tigelas cheias de doces de caramelo com embalagens douradas, amêndoas açucaradas, passas verdes e sementes duras e crocantes.

Assim que entrei no quarto minúsculo e gelado de Zargoona ela começou a chorar. Ela, Marina e eu nos enfiamos juntas debaixo de cobertas grossas e pesadas. As lágrimas escorriam pelo rosto de Marina enquanto ela traduzia a fala embargada de Zargoona. Sua história era comovente.

Quando fotografava nas ruas, eu não podia erguer a câmera até o rosto, portanto era obrigada a bater todas as fotos sem olhar. Só nos demos conta da tensão que pairava sobre nós quando saímos de Cabul – uma cidade dominada pelo medo. O efeito dessa tensão sobre a população era físico.

DEZEMBRO DE **2001** | **APÓS A QUEDA DO TALEBAN**

**QUATRO ANOS DEPOIS E JÁ COM DOIS FILHOS,** voltei a Peshawar e dei início ao penoso processo de tentar entrar no Afeganistão.

Mary MacMakin estava vivendo em Peshawar. Fora expulsa do Afeganistão por criticar o Taleban em seus escritos. Foi um prazer revê-la, e ela me deu o telefone do irmão de Palwasha, Fahrid, que ajudaria a reencontrar as mulheres de Cabul que eu conhecera em minha primeira viagem.

Entrar no Afeganistão era uma questão de tentativa-e-erro. Eu e meus companheiros de viagem (outros dois fotógrafos) passamos uma semana contratando e demitindo uma infinidade de guias afegãos e paquistaneses, que nos garantiam métodos cada vez mais bizarros de entrar no Afeganistão. A certa altura, estávamos convencidos de que o único acesso possível seria a cavalo, por uma montanha, através de uma trilha distante e coberta de neve. Três dias após nossa chegada, quatro jornalistas foram brutalmente assassinados na estrada de Jalalabad a Cabul. Naturalmente, todos nos avisaram de que seguir por aquela estrada seria suicídio. As Nações Unidas ofereciam vôos de Islamabad para Cabul por "apenas" dois mil e quinhentos dólares, e mesmo a esse preço a lista de espera era longa!

Após sermos barrados na fronteira, soubemos que a família do falecido general Abdul Haq oferecia aos jornalistas escolta armada de Peshawar a Jalalabad. Lá chegando, tínhamos pela frente a viagem extremamente perigosa até Cabul, e existiam poucas opções seguras. Nosso salvador veio na forma do prefeito de Jalalabad, o engenheiro Abdul Ghaffar, que fora convidado pelo presidente interino Rabbani ir a Cabul para debater a situação. Ghaffar organizou um comboio de sete veículos para a jornada, com trinta e sete seguranças armados, e ofereceu-se para levar consigo qualquer jornalista.

Dois dias depois, iniciamos a tensa viagem a Cabul. Em certo ponto, os homens armados que viajavam à frente pararam e desceram do veículo. "Avistaram alguém no alto das colinas", disse Ghaffar, enquanto o motorista acelerava pela encosta do barranco íngreme onde estávamos. Encolhi-me dentro do colete à prova de balas e fechei os olhos.

A noite caía quando chegamos a Cabul e nos dirigimos ao Hotel Intercontinental, que estava cheio de jornalistas. Sem vagas, eles nos recomendaram outro hotel. Imperturbáveis diante do mau cheiro do quarto, nos considerávamos felizardos por termos um quarto para os dez dias de permanência na cidade. Pela manhã, contratei um motorista e procurei uma jovem intérprete que me fora recomendada. Fahrid, irmão de Palwasha, completou a equipe como meu guia, incumbido de me ajudar a investigar o paradeiro das mulheres que eu conhecera em 1997.

Era impressionante como a cidade havia mudado nas poucas semanas desde a partida do Taleban. Objetos proibidos sob o domínio do Taleban ressurgiam em toda parte. Os mercados esta-

Cabul, dezembro de 2001.

vam cheios de televisores, câmeras de vídeo e fitas cassete. Todas as lojas tinham as paredes cobertas de pôsteres e cartões postais de cantores indianos e (por mais estranho que possa parecer) Kate Winslet, que parecia ser muito popular após o grande, apesar de clandestino, sucesso de *Titanic* no Afeganistão. O céu estava decorado por centenas de pipas, muitas delas feitas de simples sacos plásticos com fotos do Rambo. Havia manequins nas vitrines, maquiagem, sapatos brancos à venda nas ruas, roupas íntimas femininas penduradas nos mercados e embalagens com estampas de rostos femininos. Em algumas regiões da cidade, as ruas exibiam fileiras de antenas parabólicas construídas com coloridas latas de alumínio. Centenas de pombos estavam à venda no final da Rua dos Frangos e os estúdios fotográficos haviam voltado com força total. No tempo do Taleban, todos esses objetos aparentemente comuns, cotidianos, eram rigorosamente proibidos e considerados como sacrilégios.

**ACHO QUE** no Ocidente existia a crença de que todas as mulheres do Afeganistão rasgariam suas *burkha*s, no exato momento em que não fossem mais obrigadas a usá-las. Porém, a mudança está acontecendo lentamente, em parte devido à reação dos homens ao ver mulheres descobertas em público, pela primeira vez em cinco anos. Depois de pouco tempo no país, era fácil entender

Mulheres na Escola de Zargoona registram-se para lecionar legalmente pela primeira vez em cinco anos.

por que elas continuavam cobrindo seus corpos: as ruas tornaram-se predatórias. Onde quer que eu fosse, uma multidão de homens me encarava fixamente. "Por isso preferimos nos cobrir", disse minha intérprete. "Esses homens nos deixam encabuladas".

Mas, apesar de toda a cautela, as mulheres começaram a usufruir de novas liberdades: andavam abertamente, sozinhas ou em pequenos grupos, com suas *burkha*s esvoaçantes atrás de si. Quando paravam para conversar com amigas (outra atividade proibida pelo Taleban), descobriam seus rostos e falavam livremente. Na Escola Primária de Zargoona, centenas de mulheres se cadastravam para lecionar legalmente, pela primeira vez em cinco anos. O alívio e a alegria daquelas mulheres diante dessa mudança súbita eram muito emocionantes. Em 1997, quando visitei a escola ilegal que funcionava na casa de Latifa, deixei meu motorista a alguns quarteirões de distância por medo de chamar a atenção. Lá eu observei vinte garotinhas aprendendo a ler e escrever num quarto muito frio, correndo um risco enorme, além de pôr em risco também suas professoras e famílias, tentando aprender enquanto o Taleban proibira meninas e mulheres de freqüentarem escolas. Em 2001, revisitei a escola e vi as meninas indo a pé para a aula, caminhando abertamente em grupos e brincando ao ar livre, já sem medo de serem espancadas só porque querem estudar.

Mas a experiência mais emocionante foi o reencontro com as mulheres que entrevistei em 1997. Sob o sol forte, eu e minha intérprete subimos novamente a escarpa íngreme que levava à casa de Shafika. Lá estava ela, usando um gorro vermelho, o rosto vincado pelo riso ao me rever. Durante horas a fio ouvi sua fala animada, desejando todo o tempo poder falar diretamente com ela, sem precisar de uma intérprete. Ela ria muito da própria imagem nas velhas fotografias que mostrava, e sua alegria transformou-se em ódio enquanto narrava suas experiências nos últimos cinco anos. Quando eu estava partindo, Shafika enrolou em meu pescoço um pesado cachecol vermelho que ela mesma bordou, e me beijou carinhosamente.

Para localizar outras mulheres foi mais difícil. "É impossível", disse Fahrid, justificando sua busca infrutífera por Zargoona. "Ela mudou de endereço muitas vezes, e agora ninguém sabe onde ela está". Eu implorei a ele para que continuasse procurando e então, numa manhã, quando começávamos nosso trabalho, ele virou-se para mim dentro do carro e disse, "Zargoona... eu a encontrei".

Ao chegarmos, Zargoona abriu a porta de seu minúsculo e escuro apartamento, me abraçou com força e imediatamente começou a chorar. Estava tão magra que parecia frágil ao toque, e seu cabelo era mais grisalho do que deveria em apenas quatro anos. Para ela já não importa mais quem governa o seu país, porque agora Zargoona está morrendo de câncer. Sentamos no chão para conversar, e ela teve vergonha por não ter dinheiro para comprar nem mesmo a tradicional tigela de doces. Pediu a Fahrid que comprasse uma tigela, para que pudesse me oferecer algo. Zargoona falava agarrando-se a mim, o corpo enfraquecido pela agonia em sua vida. Me senti mal quando foi preciso me afastar para fotografá-la, e gostaria de poder ajudar a melhorar sua vida de alguma maneira.

Mas a vida de Zargoona e de todas essas mulheres só pode melhorar se elas não caírem novamente no esquecimento. Quando o mundo voltar sua atenção para a próxima história, o próximo assunto, o próximo evento – o que acontecerá naturalmente –, essas mulheres continuarão vivendo num país que as abandonou durante os anos de guerra, ignorando seus direitos básicos e negando seu valor. E, apesar de não ter poder suficiente para isso, espero que o futuro das mulheres do Afeganistão seja muito melhor que seu passado.

Sob o domínio Taleban, as meninas eram obrigadas a irem à escola sozinhas, para não chamar a atenção. Hoje, elas podem andar livremente, em grupos.

1972. No recém-criado bairro de Shar-E-Nau, algumas jovens liberadas e emancipadas usavam minissaias, apesar das severas críticas da maioria dos afegãos que ainda seguem a tradição muçulmana. Os mulás (sacerdotes muçulmanos) não hesitavam em jogar ácido nas pernas desnudas daquelas jovens impudentes.

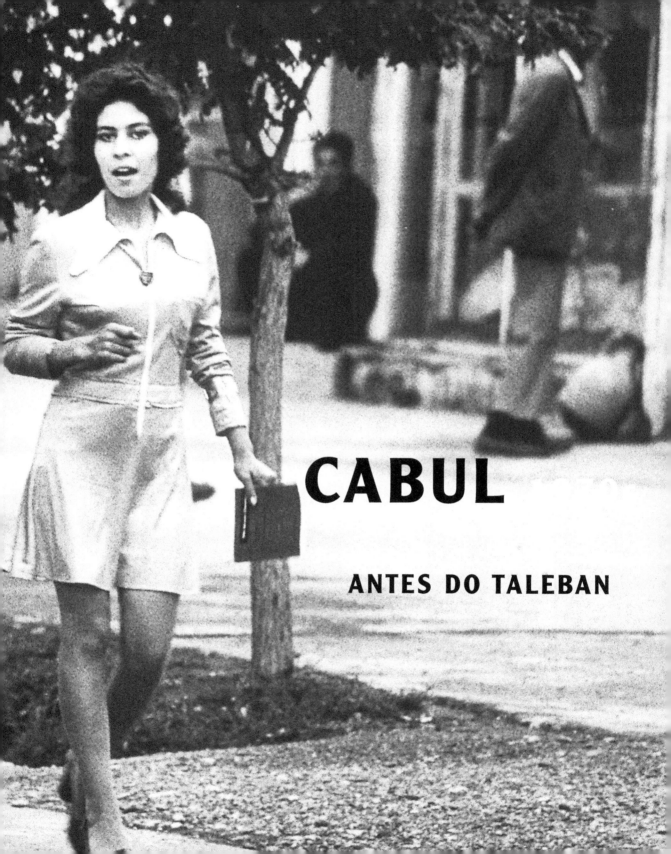

# CABUL

## ANTES DO TALEBAN

1972. Uma jovem engajada no Peace Corps e seus amigos norte-americanos viajam pelo Afeganistão.

Maio de 1972. Manifestação no parque central de Cabul. Os *slogans* dizem "Rumo à paz, à democracia e ao progresso social."

# ALGUNS DECR

EM SETEMBRO DE 1996, O TALEBAN TOMOU CABUL E IMPÔS LEIS SEVERAS A DOIS TERÇOS DO AFEGANISTÃO. ESSES DECRETOS FORAM DEFENDIDOS COM VIOLÊNCIA ATÉ OUTUBRO DE 2001, QUANDO TROPAS AFEGÃS, COM A AJUDA DE AVIÕES NORTE-AMERICANOS, DERRUBARAM O GOVERNO DO TALEBAN.

AS MULHERES NÃO DEVEM SAIR DE SUAS RESIDÊNCIAS. SE O FIZEREM, NÃO DEVEM USAR TRAJES ELEGANTES, PRODUTOS COSMÉTICOS OU ATRAIR ATENÇÃO DESNECESSÁRIA. CASO VENHAM A USAR "VESTES ELEGANTES, ADORNADAS, APERTADAS OU ATRAENTES", JAMAIS CONHECERÃO O PARAÍSO.

AS MULHERES DEVEM SERVIR COMO PROFESSORAS PARA SUA FAMÍLIA. OS ESPOSOS, IRMÃOS E PAIS SÃO RESPONSÁVEIS PELAS FAMÍLIAS (ALIMENTAÇÃO, ROUPAS, ETC.).

NÃO É PERMITIDO ÀS MULHERES TRABALHAR FORA DO LAR OU FREQÜENTAR ESCOLAS.

NENHUM TIPO DE MÚSICA É PERMITIDO. DONOS DE ESTABELECIMENTOS OU MOTORISTAS PORTANDO FITAS CASSETE SERÃO PRESOS. É PROIBIDO TOCAR TAMBORES.

É PROIBIDO RIR EM PÚBLICO.

É PROIBIDO BARBEAR-SE OU CORTAR A BARBA. OS INFRATORES SERÃO PRESOS ATÉ QUE SUAS BARBAS CRESÇAM.

É PROIBIDO MANTER POMBOS EM CATIVEIRO E BRINCAR COM PÁSSAROS.

# TOS DO TALEBAN

**P**IPAS SÃO PROIBIDAS.

**F**OTOGRAFIAS E RETRATOS SÃO PROIBIDOS. SÃO CONSIDERADOS FORMAS DE IDOLATRIA E DEVEM SER RETIRADOS DOS HOTÉIS, ESTABELECIMENTOS COMERCIAIS E VEÍCULOS.

**O** JOGO É PROIBIDO. OS INFRATORES SERÃO PRESOS POR UM MÊS.

**C**ORTES DE CABELO À MODA INGLESA E NORTE-AMERICANA SÃO PROIBIDOS. PESSOAS DE CABELOS LONGOS SERÃO PRESAS E LEVADAS AO DEPARTAMENTO RELIGIOSO PARA RASPAGEM DOS CABELOS. O CRIMINOSO DEVERÁ PAGAR O BARBEIRO.

**É** PROIBIDO LAVAR ROUPAS NOS RIACHOS E CÓRREGOS DA CIDADE. AS JOVENS QUE VIOLAREM ESTA LEI DEVERÃO SER APANHADAS RESPEITOSAMENTE À MODA ISLÂMICA E LEVADAS PARA SUAS RESIDÊNCIAS. SEUS ESPOSOS SERÃO SEVERAMENTE PUNIDOS.

**S**ÃO PROIBIDAS A EXECUÇÃO DE MÚSICAS E A DANÇA EM FESTAS DE CASAMENTO.

**S**ÃO PROIBIDAS A CONFECÇÃO DE ROUPAS FEMININAS E A TIRADA DE MEDIDAS CORPORAIS POR ALFAIATES. CASO MULHERES OU REVISTAS DE MODA SEJAM VISTAS NUMA ALFAIATARIA, O INFRATOR SERÁ PRESO.

**A** FEITIÇARIA É PROIBIDA.

**T**ODOS DEVEM REZAR. TODAS AS PESSOAS SÃO OBRIGADAS A COMPARECER À MESQUITA. JOVENS VISTOS EM ESTABELECIMENTOS COMERCIAIS SERÃO PRESOS IMEDIATAMENTE.

# CABUL | 1997

## SOB O DOMÍNIO DO TALEBAN

Alguns meses após esta foto, o Taleban lançou um decreto proibindo as mulheres de calçarem sapatos brancos, porque esta era a cor da bandeira afegã. Sapatos que produzissem qualquer tipo de ruído ou chamassem a atenção também foram proibidos.

# JAMILAeFERSITTA

## 1997

JAMILA E FERSITTA são irmãs. Jamila tinha vinte e quatro anos e trabalhava como radialista antes do Taleban assumir o controle de Cabul, em 1996. Fersitta tinha vinte e cinco anos, e também trabalhava como jornalista.

Quando conheci Fersitta, ela me convidou para ir a sua casa, entrevistá-la e fotografá-la. Numa noite muito fria, cheguei ao Microrayons – o condomínio de prédios altos ao estilo soviético onde ela morava. Quando entrei no apartamento, percebi na hora que tinha medo de se deixar fotografar com o rosto à mostra. Fotografei Jamila e Fersitta ainda cobertas por suas *burkhas*, ao lado de uma estufa a gás na sala de estar. Não mais que cerca de uma hora depois de chegar, Fersitta, um senhor de idade, me pediu para ir embora. Estava apavorada com o que poderia acontecer se os talebans descobrissem que eu estivera lá, e visivelmente transtornado por ter me pedido para ir embora, e implorou para que voltasse após o término do regime do Taleban.

Tentei encontrar Jamila e Fersitta em minha segunda visita, em 2001, mas chegando ao prédio fui informada de que elas haviam deixado o país.

# JAMILA

Nossa vida era melhor durante o regime comunista da década de 1980. Podíamos trabalhar e estudar. Podíamos ir a qualquer lugar. Foi uma época boa para as mulheres afegãs, mas ruim para os homens. Eles eram obrigados a ir às fronteiras para lutar contra os russos, e ficavam desesperados porque muitas vezes não tinham a menor chance de sobreviver. Fiquei preocupada quando meu irmão foi à guerra.

Antes do Taleban, eu tinha muitas fitas cassete de Michael Jackson e de alguns cantores iranianos e indianos de música *pop*. Gosto de *pop*, não gosto de *rock*. Não conhecemos a música atual. Nunca fui à Europa, nem aos Estados Unidos, e não sei como é a música de vocês. Minha família mandou meu irmão para Moscou, e lá ele conseguiu juntar dinheiro. Depois conseguiu chegar à Holanda, que é onde ele vive atualmente. É muito importante saber que alguém da nossa família conseguiu escapar dessa situação miserável.

Nunca namorei. Isso não tem importância para mim. Não faz parte da nossa cultura ter namorados, como vocês. Meu casamento depende de minha família. É uma decisão que cabe às famílias – não a nós. É muito raro que um casal se apaixone e case por amor. Ainda não conheci o tipo de homem pelo qual quero me apaixonar, e não posso confiar nos afegãos de outras famílias, porque eles podem ser muito desonestos. Quero um homem que saiba quem eu sou realmente e o que espero da vida, alguém que me deixe fazer o que quiser, que não me proíba de fazer as coisas, que me trate como uma amiga e com igualdade.

Ouvi falar do aumento dos suicídios no país, mas acho difícil acreditar. O suicídio não faz parte de nossa cultura. Devem ser pessoas reclusas. A pessoa tem de estar muito desesperada – mas eu sei de mulheres que têm vidas horríveis aqui. Fico triste ao ver gente mendigando pela rua. Existe mais dela a cada dia, e isso me revolta. Até mesmo professoras são obrigadas a mendigar para sustentar suas famílias. Todos os dias pessoas batem à minha porta: homens, mulheres e crianças pedindo comida.

Durante o dia, estudo inglês e ajudo minha mãe a locomover-se pela casa. Ela é doente, então preciso fazer a maior parte do serviço de casa. Leio livros de poesia, tenho livros de Inglês Básico e de histórias como "Ali Babá e os Quarenta Ladrões". Não recebemos muitas informações do resto do mundo. Só podemos escutar a Rádio Sharia, que é local e obviamente não toca música alguma.

Gosto muito de Londres, apesar de nunca ter ido lá, e tenho familiares na Inglaterra. Mas se fosse para Londres acho que eu não conseguiria entrar no Afeganistão novamente.

Minha maior ambição é recuperar meu emprego. Meu pai quer que eu vá a Londres para trabalhar no escritório da BBC de Pashtun. Ele acha que seria muito bom para mim. Diz que não sentiria tanta saudade assim, e que meu progresso lhe traria felicidade.

# FERSITTA

Eu amava meu trabalho. Era bem-conceituada e tinha um bom futuro à minha frente. Agora, meus pais estão preocupados. Antes orgulhavam-se de mim, mas agora sou proibida de trabalhar. O Taleban proíbe nossa expressão. O que podemos fazer? E não é só o Taleban; não tenho nenhuma boa recordação deste país. Nem da época dos mujahideen, nem do Taleban.

Durante o governo dos mujahideen, as mulheres podiam falar, mas não era muito seguro. Cada comandante era como um governo à parte, e era difícil enfrentá-los. Mas pelo menos existia trabalho para as mulheres. Antes do Taleban, os homens nos olhavam lascivamente. Se quisessem, era só chegar de carro e nos pegar. Agora ninguém sabe como somos por baixo das *burkhas*, e assim nos sentimos seguras. Um comandante não pode simplesmente pegar uma mulher na rua. Quando encontramos homens permanecemos cobertas. O Taleban nos proíbe de falar com nossos amigos em público. Não podemos conversar muito quando nos encontramos na rua. O Taleban já levou um casal a julgamento para comprovar se eram mesmo casados, só porque estavam conversando na rua!

Quando encontro velhos amigos na rua, nós rimos porque é engraçado nos vermos usando *burkhas*! Se vejo alguém que conheço, digo oi baixinho, mas quase sempre a pessoa não percebe quem eu sou. Logo após a chegada do Taleban fomos receber nossos salários, e encontramos homens conhecidos nossos. Todos repetiam, "Olá, seja você quem for!". Já as mulheres reconhecem umas às outras pelo formato do corpo. Conhecemos nossas silhuetas. Quando estou com minhas amigas elas me reconhecem. Conhecem meu jeito de caminhar. Ando como sempre andei, e mesmo através da *burkha* elas me reconhecem.

A maquiagem é proibida pelo Taleban, mas eu uso assim mesmo – lápis e batom. Fazemos disso um símbolo de resistência. É a nossa forma de desobedecer aos Talebans.

Estamos muito tristes. As mulheres não estão indo à escola e não sabem se poderão retomar suas vidas. No início, ouvimos boatos de que os Talebans eram pessoas boas. Mas não conhecíamos as leis deles. Quando soubemos que teríamos de usar as *burkhas*, choramos – todas nós. Ao cobrir meu rosto com a *burkha* pela primeira vez, tive vergonha. Me senti injustiçada – eu já não tinha a mesma liberdade das mulheres de outras partes do mundo.

Não posso expressar meus sentimentos ou saber bem o que quero. Às vezes, torcemos para que um governo como o de Massoud retorne ao poder e os Talebans sejam destituídos. Talvez, com o tempo, os Talebans venham a adquirir mais confiança em seu domínio e permitam às mulheres que saiam à rua. Ou, talvez, um novo governo assuma o poder e acabe com toda essa violência. Nós queremos paz e liberdade no Afeganistão. Quando vemos mulheres ocidentais em Cabul, as consideramos pessoas de sorte. Respeitamos os estrangeiros que vêm ao Afeganistão, pois o lugar é horrível. Sentimos muita tristeza por não termos nada.

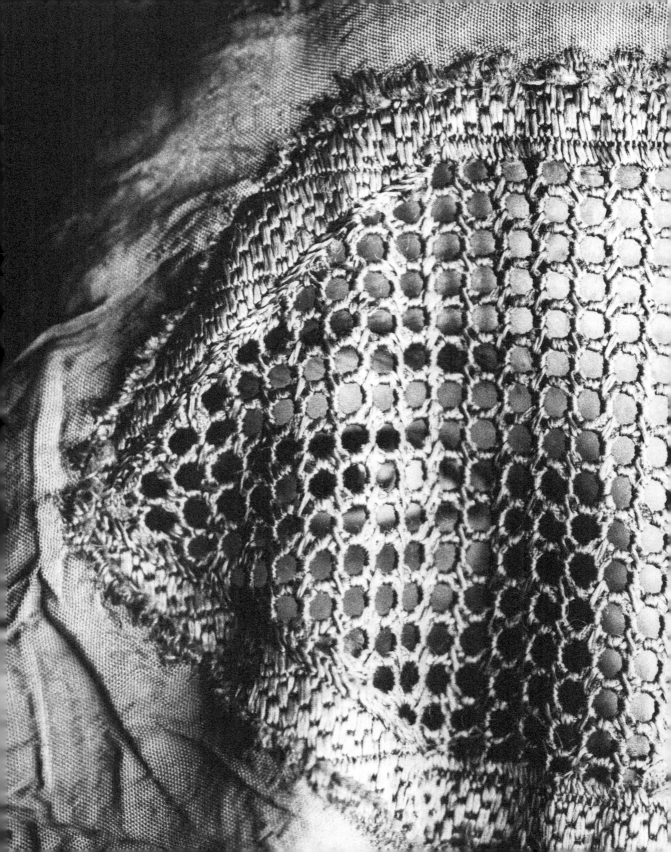

# MARINA

## 1997

Em 1997, passei seis dias com MARINA, que era minha intérprete. Quando voltei a Cabul em 2001, fui informada de que, há dois anos, Marina e sua mãe estavam vivendo nos EUA.

Para Marina, usar maquiagem era um símbolo de resistência às restrições que lhe foram impostas. Os Talebans, no entanto, eram severos em suas punições, e diz-se que cortavam os lábios das mulheres que eram descobertas usando batom.

Eu quero lutar com a minha caneta. Eu lutaria através da força, com uma arma, mas assim teria de matar outras pessoas. Não quero fazer isso, mesmo que não sejam pessoas boas. Elas não precisam ser mortas, precisam aprender a tornarem-se humanas. Se forem mortas, o Afeganistão simplesmente perderá mais vidas, além dos milhões já mortos.

Eu adoro estudar. Quando o Taleban me proibiu de voltar à universidade, fiquei muito deprimida. Dois meses depois minha família me mandou para o Paquistão, para que eu me recuperasse. Quando voltei do Paquistão, ainda chorava todos os dias. Então tentei o suicídio. Não perdoava minha mãe por impedir que eu ficasse no Paquistão para concluir meus estudos. Escrevi um bilhete dizendo que queria ser enterrada ao lado do túmulo de meu pai, fora de Cabul. Depois, engoli cinqüenta comprimidos de calmante.

Minha mãe encontrou na geladeira o bilhete que eu havia escrito, e me encontrou no quarto, me preparando para dormir. Eu queria mesmo morrer. Vivíamos aprisionados, e eu não agüentava mais. Porém, minha mãe chegou mais cedo em casa do que de costume, e me encontrou. Quando meus amigos ficaram sabendo, disseram que me queriam viva – não por mim, mas por eles. Não sentiram raiva de mim; só tristeza.

No dia seguinte me senti normal, a não ser por algumas marcas em minha boca, causadas pelo potássio que minha mãe me fez beber para provocar vômito. Mas eu estivera num sono muito profundo. Meu irmão estava muito nervoso. Eu disse a ele que o que eu fazia era problema meu, e não dele. Ele disse, "Tudo bem, mas então se atire sob um carro lá fora para que ninguém saiba que você cometeu suicídio. Como pôde fazer isso sabendo que não aceitamos o suicídio?". Minha mãe tem medo de que eu tente outra vez. Em último caso, é isso que vou fazer.

Quero ir embora desse lugar.

## 1997

**FAHRIDA tinha catorze anos e vivia com seus pais, suas cinco irmãs e três irmãos. Ela perdeu uma perna durante um ataque aéreo dos mujahideen, que também matou as duas crianças com quem brincava.**

# FAHRIDA

Muita gente diz que o Taleban é mau, mas eu discordo.

Há oito anos, quando eu tinha sete anos de idade, saí para brincar com minhas amigas. Não estávamos fazendo nada de errado – só brincando numa rua tranqüila – quando a bomba caiu. Ela matou minhas duas amigas, o sangue delas estava em toda parte, e eu me lembro daquele dia e das coisas ruins que vi. Você consegue imaginar?

Fui a única sobrevivente, mas perdi minha perna. Por isso, a vida será sempre difícil para mim.

Eu odeio os mujahideen por terem feito isso comigo – eles tiraram minha perna e, com ela, minha liberdade. Eles levaram minhas amigas, que não mereciam morrer daquela maneira. Como eu poderia considerá-los bons?

Com certeza, o Taleban será melhor para nós do que aqueles homens terríveis. Acho que não existe ninguém que possa me fazer tanto mal, e espero que os mujahideen nunca mais voltem.

# DEZEMBRO 2001

## A VIDA APÓS O TALEBAN

Shafika, 1970

# SHAFIKA

## 2001

Quando conheci SHAFIKA, em 1997, ela estava preocupada em cuidar de sua mãe, que estava fragilizada, convalescente. A doença de sua mãe tomava grande parte do tempo e atenção de Shafika, que também ajudava sua família.

Em 2001, visitei Shafika na mesma casa onde ela morava quando a conheci, em 1997. Sua mãe havia morrido. Shafika mora na casa com sua filha, Roya, e com os três filhos de seu finado irmão. Roya tem vinte e cinco anos de idade e trabalha numa tecelagem.

Sou viúva há quinze anos. Minha vida foi muito difícil desde a infância. Minha família era muito pobre e cinco de meus seis irmãos morreram. Meu pai também morreu quando eu era ainda criança, e minha mãe trabalhava como doméstica. Lavava as roupas dos vizinhos e fazia o possível para sobreviver. Eu me lembro dos freqüentes confrontos em Cabul e de quando os russos estavam aqui. Durante anos, mudamos constantemente de endereço, mas nenhum lugar era seguro.

Eu tinha dezenove anos quando me casei. Meu marido era motorista de táxi e passamos vinte e um anos juntos. Era um bom homem, e enquanto era vivo eu nunca sofri. Não precisava trabalhar porque ele nos sustentava. Um dia ele morreu subitamente, na rua, de um ataque cardíaco. Após sua morte procurei trabalho em todos os lugares possíveis, mas como larguei os estudos na sexta série e não tenho especialização, fica difícil conseguir um bom emprego. Eu ainda estou procurando. Tenho dívidas terríveis com amigos e vizinhos.

Será que alguém guarda boas recordações do Taleban? Eu só tenho más lembranças. Um dia, o Secretário de Proibição da Degradação e Defesa da Virtude veio à minha casa acompanhado de oito homens armados, e me acusou de trabalhar com tecelagem no interior da casa. Gritaram conosco, ficamos apavoradas, mas não nos machucaram. Em outra ocasião, eu andava pela rua. Alguns Talebans espancavam uma mulher, então me aproximei e perguntei, "Por que estão batendo nela?". Eles começaram a me espancar também, por ter perguntado. Recebi cinco chibatadas com um chicote de couro. Consegui fugir e corri tanto quanto pude. Eu

"Será que alguém guarda boas recordações do Taleban?"

Shafika, 1970

Shafika, 2001

sempre saía de casa preocupada. Via os Talebans em toda parte e vivia com medo.

Nessa época Mary [MacMakin] me ofereceu o cargo de líder da equipe do projeto de tecelagem da PARSA. Estávamos sempre com medo de sermos seguidas, e trabalhávamos em segredo. Se os Talebans nos avistavam com a lã, dizíamos a eles que estávamos apenas tecendo tapetes em casa. Não podíamos contar, é claro, que estávamos trabalhando, e que os tapetes seriam enviados ao Paquistão, onde seriam vendidos. Eu ganhava cinqüenta dólares por mês. A sobrevivência era difícil, mas conseguíamos dar conta. A Crescente Vermelha também me ajudava. Eles me davam arroz, farinha, óleo, ervilhas e sal a cada três meses.

Quando os bombardeios dos EUA começaram, tivemos medo porque as antenas de televisão, que eram o alvo, ficam muito próximas à minha casa. A casa tremia, e as janelas se quebraram. Eu não tenho rádio nem televisão, mas sabia que os Estados Unidos eram os responsáveis pelo bombardeio, por causa do som dos aviões. Pessoas de outros países, como paquistaneses e Osama Bin Laden, defenderam o Taleban. Eles têm conceitos rigorosos e estranhos, e suas crenças nada têm a ver com o Islã.

As mulheres daqui, em sua maioria, ainda vestem as *burkhas*. Quando a situação melhorar e tivermos um novo governo, aí então deixaremos de usá-las. Antes do Taleban assumir o poder, eu nunca tinha usado esse tipo de roupa. Não odeio todos os homens: alguns homens são bons. No futuro, Alá os instruirá a não lutarem mais. Ele cuidará de nós. Não queremos todos esses homens armados por toda a cidade, e eles precisam ser desarmados, se quisermos nossa paz de volta. Talvez essas antigas guerras entre os mujahideen não se repitam mais. Talvez seus erros nos ensinem algo.

Já basta.

Shafika e sua filha, Roya, em casa.

# ROYA

## 2001

**ROYA tem quinze anos de idade. Ela é filha de Shafika.**

Eu estava na escola quando o Taleban chegou a Cabul – gostava muito de estudar. Minhas matérias prediletas eram matemática e o Dari [linguagem popular do Afeganistão]. Eu tinha dez anos. Não me lembro muito bem de como eram as coisas antes. Fui informada de que não poderia mais ir à escola. Aquilo me deixou muito triste. Nesses últimos cinco anos trabalho aqui em casa, ajudo minha mãe nos serviços domésticos.

Na época do Taleban minha mãe tinha um emprego clandestino. Quando ela saía eu cuidava da casa e de minha avó, que estava morrendo. Todos os dias, quando minha mãe ia trabalhar, eu temia que ela fosse presa ou espancada. Mas ela precisava trabalhar – meu pai já tinha morrido. Eu odiava os Talebans por isso – eles sabiam que havia muitas viúvas aqui em Cabul, que precisavam trabalhar para poder sustentar suas famílias. Os Talebans eram muito maus.

Não temos parentes, então quando tive problemas nas amígdalas não pude ir ao médico. Também não temos dinheiro para pagar.

Espero voltar para a escola e estudar. Mais tarde, gostaria de trabalhar. Não sei nada sobre o futuro, nem se haverá paz. Essa decisão cabe a Alá.

1997

# LATIFA
## 2001

**LATIFA** é uma viúva de trinta e nove anos, com cinco filhos. Há quatro anos, visitei Latifa enquanto ela ensinava vinte meninas e ler e escrever, na escola ilegal que ela dirigia em sua casa. Em dezembro de 2001, visitei a mesma escola, que agora funcionava legalmente, algumas semanas antes do Taleban deixar Cabul.

Nasci em Cabul. Minha infância foi boa, mas agora eu moro numa casa alugada e a vida é difícil. Tinha vinte anos de idade quando me casei, mas dez anos depois perdi meu marido. Ele trabalhava como segurança na porta de um escritório, e um dia um homem veio e atirou nele. Só estava fazendo seu trabalho, e ninguém sabe por que o mataram. Eu estava grávida de três meses na ocasião – uma péssima hora para perder meu marido daquele jeito. Entrei numa depressão profunda, e quando Yelda nasceu fiquei muito doente.

Eu sustentava meus três filhos e duas filhas trabalhando como professora. Durante o regime do Taleban, era difícil manter essas escolas. Dizíamos às meninas para esconderem seus livros sob os véus, enrolados em suas roupas ou mesmo dentro de cópias do Corão. Éramos freqüentemente seguidas pelos homens do Taleban. E vivíamos com o medo constante do que poderia acontecer caso nós ou nossas alunas viessem a ser capturadas.

Um dia, uma menina saiu da aula e começou a descer a rua. De repente, um carro cheio de Talebans estacionou. Eles a agarraram, começaram a revistar suas sacolas e a gritar com ela. Queriam saber quem a estava ensinando. Foi acusada de estudar Cristianismo. Ela chorou muito. Não bateram nela, talvez por ser tão pequena. Mas empurraram a menina de um lado para o outro, atiraram ao chão a sua sacola e depois jogaram a menina no chão. Ela ficou apavorada, mas não disse em momento algum onde estivera.

Eu assistia a tudo pela janela. Não podia fazer nada; se fosse ajudá-la, eles teriam me espancado ou levado presa. Aquela garotinha foi muito corajosa em suportar tudo sozinha.

Uma das razões por que decidi me arriscar e continuar lecionando foi garantir que meus filhos não morressem de fome. Mas eu também achava muito importante que todas aquelas meninas continuassem seus estudos. Quem eram aqueles homens ignorantes para negar esse direito às nossas filhas? Antes dos bombardeios dos EUA tínhamos cinqüenta alunas por dia – só meninas. Muitas foram embora quando começaram os bombardeios, mas ainda temos cerca de quarenta alunas por dia. Eu leciono pela manhã, das 8 até as 11 horas , exatamente como fazia quando os Talebans estavam aqui. Mas muita coisa está mudando – para melhor – ultimamente. É estranho ir trabalhar sem nenhuma sensação de perigo ou medo. Minhas alunas chegam juntas, em turmas grandes. Antes, andavam sozinhas para não chamar a atenção dos Talebans.

Sou muito otimista com relação ao nosso futuro. Nós somos como um bebê recém-nascido, e depois de todos esses anos ainda acreditamos que a paz virá. Hoje eu ando pela cidade e é como se estivesse em outro lugar. Tanta coisa mudou tão rápido. Eu vejo mulheres caminhando sozinhas, ou dentro de táxis, sem precisar de acompanhantes.

As pessoas andam calmamente, sem nenhum medo. E existe muito mais felicidade agora.

Em 1997, as meninas da escola de Latifa eram obrigadas a esconder seus livros dentro de cópias do Corão ou sob seus véus. Elas, assim como seus pais, corriam o risco de serem espancadas simplesmente pela vontade de estudar.

# YELDA

## 2001

**YELDA tem nove anos. Nos conhecemos numa escola caseira clandestina em 1997, onde sua mãe lecionava. Vinte garotinhas estavam sentadas no chão de uma casa gélida aprendendo a ler e escrever.**

A caminho da escola, escondíamos nossos livros dentro do sagrado Corão. Eu sabia que se os Talebans me pegassem indo para a escola, seria espancada. Acho que os Talebans não queriam que fôssemos à escola porque nos queriam burras. Os Talebans diziam, "Meninos são homens, meninas são mulheres, e mulheres não vão à escola". Fiquei triste e com raiva quando fizeram aquilo conosco. Os meninos podiam ir para a escola sem esconder seus livros, sem medo, mas nós tínhamos de nos esconder.

Gosto de todas as matérias da escola. Também gosto de cozinhar. Quero concluir meus estudos e ser médica. Estou feliz agora que os Talebans foram embora e posso ir à escola livremente. Também posso ver televisão e assistir programas infantis.

Quero estudar e ir à escola. Isso porque, no futuro, quero ajudar meu povo, que é muito pobre.

Quero que as crianças de outros países também tenham o direito de ir à escola. O estudo é bom para todas as pessoas.

As outras crianças devem ser corajosas como nós, as meninas do Afeganistão, fomos.

Dezembro de 2001. Hoje, Yelda e suas amigas podem cantar e tocar seus tambores em liberdade.

# SOVITA

2001

**SOVITA tem dez anos. Eu a conheci em 1997, com seis anos de idade, e agora sua escola pode funcionar legalmente.**

Eu me lembro de como era ir à escola na época do Taleban. Eu queria continuar estudando mas tinha medo, porque a escola era próxima à minha casa. E se os Talebans me pegassem e me fizessem ir à minha casa, para bater em meus pais também?

Os filhos dos Talebans não freqüentavam escolas – eles não sabiam ler nem escrever. Por isso os pais Talebans não queriam que fôssemos mais inteligentes do que seus filhos.

Não sei por que agiam assim.

Se eu tivesse poder e fosse uma comandante e um Taleban me interpelasse, eu o executaria.

# AQELA

1997

Conheci AQELA em 1997. Ela morava numa casa alugada com suas filhas Nooria, Nasera e Basera e seu filho, Shohib. Tinha outras duas filhas, Adela e Saleha, já casadas. Aqela trabalha como faxineira na PARSA, a organização de Mary MacMakin. Nascida em Kunduz, casou-se em Cabul. Seu marido, que fazia trabalhos manuais, foi morto pela explosão de um míssil em Cabul há muitos anos, quando chegaram os mujahideen.

Antes de conseguir esse emprego com Mary MacMakin, precisei mendigar na rua para sustentar meus filhos. Foi terrível. O Taleban me proibia de trabalhar como faxineira em outras casas, como sempre fiz, então que opções eu tinha? Meu marido está morto e, nessa situação, não confio em ninguém – não se pode confiar nem no seu próprio irmão, e nós precisamos de dinheiro desesperadamente. Toda vez que saio de casa, fico achando que serei pega e que vou apanhar. Minha amiga levou uma surra num ponto de ônibus, outro dia, sem motivo. Quando perguntei por quê, eles simplesmente bateram nela com mais força. Acho que agora você entende por que temos tanto medo do Taleban.

Esta *burkha* é tudo o que posso comprar, então tenho de dividi-la com minhas filhas. Temos de nos revezar se for preciso sair de casa! Mas a situação poderia ser pior: conheço mulheres que ficaram desesperadas a ponto de tirarem suas próprias vidas. Elas usam veneno para se matar, e algumas chegam a envenenar também a comida que dão a seus filhos.

Tem alguma coisa errada com meu filho. Ele chora e grita alto, e ultimamente ele começou a bater com a cabeça no chão e a se auto-agredir. Eu preciso segurá-lo para ele parar, e fico preocupada com o que pode acontecer caso não haja ninguém por perto quando ele começar de novo. Por isso não podemos deixá-lo sozinho. Se tivesse dinheiro, eu o levaria a um médico, alguém que pudesse tratar dele. Deve existir algo que ele possa tomar – algum remédio – para melhorar.

Mas, por enquanto, o dinheiro só dá para a alimentação. Aqui faz muito frio. Só temos algumas cobertas para dormir, e o único aquecimento é esse [um forno a lenha]. Todos os dias, quando saímos para buscar água no poço, precisamos usar pedras antes, para quebrar o gelo.

As pessoas de nosso país não têm a quem se queixar das dificuldades com o Taleban.

1997

2001

# 2001

SHOHIB, **filho de Aqela, está com sete anos, tem problemas mentais e sofre ataques epiléticos. Quando o conheci, aos três anos de idade, a magnitude de seus problemas ainda era parcialmente ignorada, mas, já naquela época, ele se mordia e batia com a cabeça no chão quando estava nervoso.**

Talvez eu tenha quarenta anos – não sei. Não me lembro de nenhum momento bom em minha vida, nem de quando eu era uma garotinha – nunca. Nem de quando fui casada.

Uma vez, ainda criança, encontrei um brinco na rua – eu o levei para casa e mostrei ao meu pai. Ele me bateu com muita força e perguntou, "Onde você encontrou isso? Você roubou! Leve de volta ao lugar onde o encontrou e deixe lá". Meus pais sempre foram muito pobres, e eu nunca tive oportunidade de estudar.

Eu não esperava pela queda do Taleban – eles eram muito poderosos e nunca achei que pudessem desaparecer. Alá ajudou a fazê-los desaparecer.

Quando Mary [MacMakin] foi a Peshawar em julho de 2000, tive de ir com ela para garantir o sustento da minha família. Tive que deixá-los em Cabul. Eu chorava todos os dias. Sentia muita saudade de minha família – especialmente do meu filho pequeno. Quando aconteceram os bombardeios, assistimos a tudo do Paquistão, pela televisão. Eu via as explosões e chorava muito. Meus filhos telefonaram uma vez para dizer que estavam bem, antes dos telefones pararem de funcionar. Após os bombardeios, alguém da equipe me trouxe uma carta do Afeganistão, dizendo que as crianças estavam felizes e seguras. Eu cheguei ontem de Peshawar, é minha primeira vez aqui sem o Taleban.

Me preocupo com o futuro sem um filho capaz de me sustentar, e sei que vou carregar o menino nas costas pela vida toda. Sempre que olho para o meu filho e vejo sua loucura, fico magoada. Me preocupo tanto com ele que mal consigo respirar durante a noite. O que vai ser dele? Tem sete anos de idade e ainda bate com a cabeça no chão. Ele se morde e grita alto. Quero que minha filha caçula estude para ter uma vida melhor. Não tenho ninguém que possa me ajudar a resolver os meus problemas.

Não tenho casa, nem nunca tive. Sempre morei em casas alugadas, e agora não tenho nada. A casa onde vivemos não tem janelas. Nós não temos dinheiro para comprar vidro – só plástico.

Temos um cartão para distribuição de alimentos, mas até agora não conseguimos alimento nenhum. A distribuição de comida é muito complicada. Aparece gente demais querendo comida, e demora muito. As brigas são freqüentes, e as pessoas entram em pânico porque a comida acaba antes que todos possam pegar alguma coisa.

O Afeganistão já está em guerra há trinta e três anos, e eu não sei o que vai acontecer aqui. Não temos bons líderes; o governo continua como antes. Gostaria de pedir ajuda aos Estados Unidos e às Nações Unidas. Temos a esperança de um futuro de paz em nosso país, mas não tenho certeza de nada – eu só sei que precisamos da ajuda de alguém de fora.

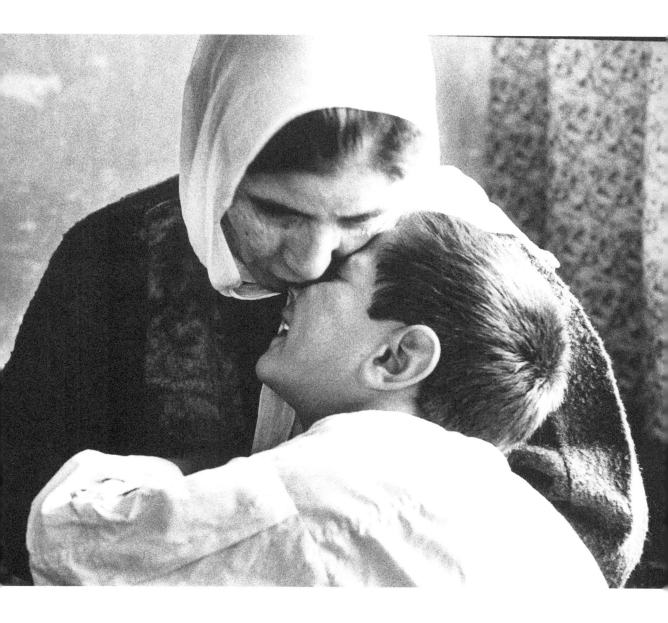

Dezembro de 1997. Todas as manhãs, no frio cortante do inverno, Nooria quebrava o gelo com uma pedra para retirar água do poço.

# NOORIA

## 1997

**NOORIA é filha de Aqela. Ela tem dezenove anos. Mora numa casa com onze familiares – cinco mulheres e seis homens.**

Por que será que as pessoas consideram os Talebans tão maus?

Pelo menos eles trouxeram paz e estabilidade a este país, não há mais guerra e enfim nos sentimos seguros. Com o Taleban temos certeza de que a ordem será mantida, então as coisas estão ótimas para nós com relação à segurança.

No tempo dos mujahideen, eu perdi meu irmão de nove anos num ataque aéreo. Ele foi buscar água para trazer para casa, uma bomba caiu na rua e o matou. Havia dezesseis pessoas junto ao poço: oito feridos, oito mortos.

Eu odeio os homens que causam esses problemas. Nós, mulheres, não temos nada com isso.

Nunca gostei muito de ir à escola, então essa proibição da educação não me afeta muito. Enquanto eu não tiver medo da guerra, não tenho nada contra o Taleban.

# 2001

Eu sou solteira.

Tenho alguns problemas de saúde. Tenho problemas em meus pulmões e rins, mas não tenho dinheiro para pagar por um tratamento adequado. Os médicos simplesmente me dizem que devo beber muito líquido.

Muitos inocentes foram mortos em todos esses anos de guerra. Mas o governo do país é um trabalho para homens, e são eles que recebem instrução no Afeganistão!

As mulheres não têm direitos iguais aos dos homens – com ou sem guerra –, principalmente se forem mulheres pobres. Acho impossível que nós, mulheres, conquistemos algum direito agora. E espero que o governo faça algumas mudanças.

Se eu tiver filhos, quero que freqüentem a escola e recebam uma educação. Crianças que estudam conseguem entender melhor os direitos das mulheres. Ensinarei meus filhos a respeitarem os direitos femininos. As mulheres nos dão a vida. Também quero que tenham profissões e sejam bem-sucedidos. Aconselharei meus filhos para que respeitem todas as pessoas e não sejam cruéis com as mulheres. Esse era o problema dos Talebans. Eram ignorantes e não tinham respeito pelas pessoas. Apenas governavam através do medo.

Minha mãe sustenta a mim e a toda a família. O maior problema que muitas mulheres afegãs têm de enfrentar é a perda de seus maridos. Elas ficam sozinhas, sem trabalho e sem nenhum homem para sustentar a família.

O inverno está chegando e não temos combustível para os próximos meses. Faz mais frio a cada dia. E os refugiados que vivem sem nada, sem um teto sobre suas cabeças? Como eles sobreviverão ao inverno?

O futuro será difícil para nós. Não sei onde vamos morar, ou se podemos permanecer nesta casa alugada – mesmo que sem vidros nas janelas. O que será de nós se não conseguirmos pagar o aluguel e formos despejados?

# STRIBUIÇÃO DE ALIMENTOS

Um soldado da Aliança do Norte em meio à
multidão que aguarda a distribuição de alimentos.

# ZARGOONA

## 1997

Conheci ZARGOONA num quarto minúsculo e muito frio, na casa de seu sogro. Não havia aquecimento ou vidraças nas janelas. Sentamos sob cobertas para tentar nos aquecer. Zargoona chorou o tempo todo em que estive lá.

Antes da chegada do Taleban, eu lecionava física na Escola Politécnica. Recebia um bom salário e tinha uma vida boa, já que o custo de vida nesse país é razoável, obviamente.

Quando os Talebans chegaram eu não percebi o que estava acontecendo, porque estava ocupada demais ensinando física. Os Talebans vieram à noite, e ao acordar nos deparamos com eles, e tudo parecia estar em paz. Ficamos contentes porque pensamos que seria bom.

Quando eles anunciaram tudo o que não poderíamos mais fazer, eu não consegui acreditar no que ouvia. Depois comecei a chorar. Eu achava que eles eram boas pessoas. Pouco depois, saí com meu filho pequeno, Bashir, para comprar uma *burkha*. Eu nem sabia como vesti-la. Quando olhava para baixo, não conseguia ver onde estavam os meus pés, e falava tão alto que quase chegava a gritar, porque achava que ninguém conseguia me ouvir! Encontrei um de meus alunos na rua e ele me pediu para baixar o tom de minha voz, porque todos conseguiam escutar o que eu dizia.

Dois dias após a chegada do Taleban, foi decretado que professoras e estudantes do sexo feminino não poderiam voltar aos seus empregos ou à escola, somente os homens. Nós, professoras, continuamos preparando testes e provas, que eu levava até a escola para entregar aos alunos. Mas os Talebans me descobriram e ameaçaram, "Se você voltar aqui, vamos cortar suas pernas para que não possa mais andar". Fiquei com tanto medo que me tranquei numa sala da Politécnica e esperei horas antes de ir para casa, por medo de que eles me seguissem até lá.

Pensei que as mudanças seriam apenas temporárias. Depois, minha vida ficou horrível. Eu não tinha salário, e uma semana depois precisei sair da moradia dos professores, pois já não trabalhava mais ali. Eu tinha muitas posses antes da chegada do Taleban, mas tive de vender tudo, até as minhas roupas, para comprar comida para o meu filho. Viemos morar com meu sogro, que é como um pai para mim. Ele disse que preferia não ter me conhecido, porque não agüentava me ver naquelas condições. Ele também é um homem pobre. Eu estava tão triste naquela época que cheguei a pensar em suicídio. Mas quero criar meu filho, então é claro que não posso cometer esse ato.

Se eu tivesse um marido, ele trabalharia para sustentar meu filho e eu. O menino merece receber uma educação, mas não tenho dinheiro para mandá-lo à escola. A única ajuda que recebo é de amigas que me dão o que podem. Mesmo assim, hoje faz três dias que não comemos nada. É o Ramadã e estamos jejuando. Porém, mesmo que não estivéssemos no Ramadã, ainda assim estaríamos em jejum, porque não temos comida. À noite, todos quebram o jejum, mas nós não o fazemos porque não há nada para comer. Eu prefiro me matar a ver meu filho passar fome dessa maneira. Minha amiga sugeriu que eu mendigasse, mas como eu poderia? Sou culta e instruída, e deveria ser capaz de me sustentar sozinha. Sou uma professora.

Eu não vou nem mesmo a festas de casamento, porque não suporto minha vida. Não tenho esperanças para o futuro; só quero que o Taleban vá embora. Eles não são humanos. Não têm coração, não têm sentimentos. São invejosos, analfabetos e não sabem de nada. Eles são como animais selvagens.

Tudo mudou completamente no ano passado, e eu quero que tudo volte a ser como era antes.

O mundo inteiro está progredindo, e nós estamos caminhando para trás.

## 2001

**Reencontrar ZARGOONA foi uma tarefa muito difícil, já que ela mudou de residência várias vezes nos últimos anos. Quando finalmente a encontramos, ela morava no andar térreo de um prédio acabado, e parecia ainda mais pobre do que quando a conhecemos. Imediatamente após abrir a porta e me ver, ela começou a chorar muito. Envelhecera muito mais do que seria normal no decorrer de quatro anos. Todo o seu corpo tremia, e suas mãos estavam inchadas e azuladas. Tinha muita dificuldade para se movimentar e havia perdido muito peso.**

Minha vida não está melhor agora do que na última vez em que nos vimos. Estou muito doente, sofro de câncer e há algo de errado em meu sangue. Sinto tensão e fadiga constantemente. Não tenho dinheiro e sou obrigada a dar aulas em casa, mas lecionar me deixa ainda mais cansada. Não consigo mais suportar a vida. Tenho tumores nos seios e no pescoço. Fui ao Paquistão para me tratar num hospital para vítimas de câncer. Estava muito mal e fiquei internada durante sete dias, mas não tinha dinheiro para continuar o tratamento ou para comprar os remédios de que precisava.

Sou ao mesmo tempo pai e mãe para o meu único filho, Bashir. Meu marido foi morto por uma bomba numa rua de Cabul quando eu ainda estava grávida de Bashir. Na época do Taleban, perdi meu emprego; na época dos mujahideen, perdi meu marido.

Não me lembro muito bem de minha infância. Nasci em Cabul e minha mãe morreu quando eu tinha seis meses de idade. Era difícil ser órfã. Eu morava com minha tia numa boa casa. Recebi uma boa educação e fui bem-tratada, mas já sofri tanto na vida que me esqueci de todas as coisas boas. Minha vida é uma desgraça. Nada me restou do tempo em que eu era feliz. Fico muito preocupada com o futuro do meu filho. Não recebo meu salário há três meses, então não tenho dinheiro para pagar o aluguel.

Eu era paga por uma ONG estrangeira, mas eles foram embora de Cabul. Fui espancada pelos Talebans há apenas três meses, por estar lecionando. Minha porta não estava trancada naquele dia, porque eu estava esperando por minhas alunas. Um vizinho mostrou a eles onde ficava a minha casa. Três Talebans entraram; outros dois ficaram do lado de fora. Eles eram assustadores. "Por que você está ensinando?", eles gritaram. Eu disse que só ensinava o santo Corão, e que meus alunos podiam confirmar. Mas eles gritaram que era proibido dar aulas para meninas e começaram a me bater com um porrete até minha perna sangrar. Juraram que, se eu voltasse a lecionar, seria presa e executada. Depois disso, sempre usei um pseudônimo como professora para me proteger. Nem mesmo minhas alunas sabem meu verdadeiro nome. Fiquei apavorada, mas tinha de continuar

lecionando, porque não poderia sobreviver sem isso. Interrompi o curso por dez dias, mas depois recomecei.

Quando começaram os bombardeios dos EUA, muitas janelas deste quarteirão se quebraram e a maioria das pessoas foi embora por medo. Mas eu não tinha dinheiro, e de qualquer maneira já não me importo mais em viver ou morrer. A vida me trouxe tanto sofrimento que eu gostaria que uma bomba dos EUA me matasse. Se meu filho não estivesse aqui, eu me mataria. Essa vida não tem sentido para mim. Não significa nada. Sendo assim, por que haveríamos de nos importar com o governo do país? Ainda hoje, não existe paz neste país. Eles já estão guerreando entre si. Por que esse novo governo haveria de ser melhor do que o anterior? A Aliança do Norte também não presta.

Não consigo mais sentir minhas mãos. Sempre estão inchadas, frias e doloridas. Compro comida fiado para mim e para Bashir. Comemos principalmente batatas. Muitas vezes não comemos nada, e fico contente por estarmos no Ramadã porque ninguém come durante o dia. Mesmo quando tenho comida, não consigo comer, porque sinto muita tristeza.

Não tenho família para me amparar – mãe, pai, irmão ou irmã. Só tenho minha tia, e ela é tão pobre que mal consegue se manter.

Estou lhe presenteando com isso (uma tiara) porque sei que vou morrer.

Não tenho mais nada a dizer.

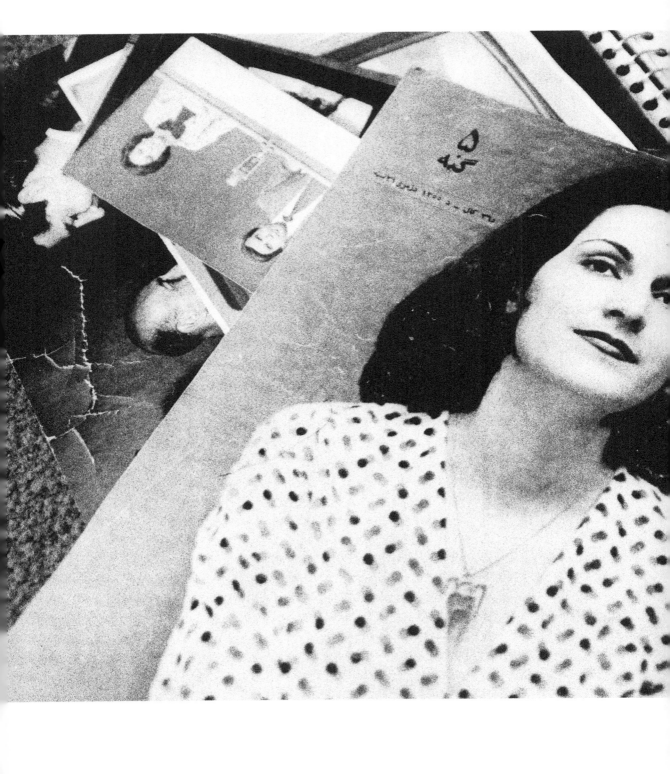

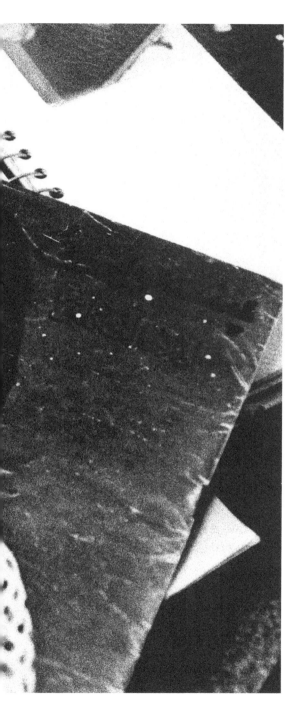

# SHAFIKA HABIBI

## 1997

SHAFIKA tinha cinqüenta e quatro anos de idade e era a mulher mais famosa do Afeganistão. O Taleban chegou ao poder em 1996 e a demitiu do seu emprego de apresentadora do Noticiário da Televisão Nacional.

Conheci Shafika e sua Durkhanai em Cabul, em 1997, mas quando voltei à cidade em 2001, soube que Shafika havia se mudado para Peshawar, porque seu marido estava com problemas de saúde.

1973. Uma famosa apresentadora da televisão, Shafika Habibi era vista com freqüência em capas de revistas.

Eu apresentava telejornais desde os quinze anos de idade. Meu marido estudou em Paris e tornou-se diplomata. Mais tarde, ele foi Ministro no governo. Tínhamos uma mansão, mordomos e seguranças, mas quando a guerra contra o Taleban começou, tivemos de abandonar tudo isso. Meu marido obviamente perdeu o emprego, e agora nós vivemos no Microrayons.

Esses álbuns de fotografia são como meu obituário – já nem parecem reais. Veja, aqui estou eu com [o ex-presidente da França] Georges Pompidou.

Quando o Taleban chegou, eu e outras trezentas mulheres da estação de televisão fomos demitidas de nossos empregos. Estamos dentro de casa desde então. Quando nos mandaram para casa, torcemos para que fosse temporário. Era como voltar no tempo – como se as mulheres estivessem escondidas nas sombras, ou trancafiadas em porões, e não sabíamos até quando aquilo iria durar. Temos uma grande batalha pela frente, se quisermos resgatar nossa posição.

Lembro-me dos primeiros dias do regime; as mulheres eram espancadas por não usarem o véu, e parecia mais seguro ficar dentro de casa. Era quase impossível reconhecer minhas amigas, mesmo se estivessem sentadas ao meu lado no ônibus. Agora, quando subo num ônibus, o cobrador recolhe as passagens e grita comigo. Ele não me conhece. Antigamente eles sorriam e diziam ao motorista, "Shafika Habibi está no ônibus".

O progresso tem sido muito difícil para as mulheres no Afeganistão. Em 1959, quando comecei a trabalhar na estação de rádio de Cabul, foi decretado que as *burkhas* não eram mais obrigatórias. Foi

um período de felicidade; éramos as primeiras mulheres a ter empregos desse tipo. Desde então, as coisas foram progredindo, até a época do Taleban. Talvez minha geração tenha ido longe demais. Na década de 1970, quando os comunistas tomaram o poder e eu entrei para a televisão, nossa cultura tornou-se quase completamente europeizada. Naquele tempo, tudo aqui era ocidentalizado: as roupas, a comida, todo o nosso estilo de vida. Eles até mostravam pessoas dançando na televisão! Mas isso só aconteceu aqui em Cabul. O restante do país, o povo analfabeto, vivia noutro mundo. O que está acontecendo agora é uma reação àquela separação entre os dois mundos.

No início do regime mujahideen eu usava calças, um casaco longo e uma echarpe sobre a cabeça. Homens e mulheres ainda trabalhavam juntos no mesmo escritório.

Uma grande pergunta que me faço é: por que não vou embora? A maioria das pessoas instruídas já deixou o país. Acho que fico porque sou uma mulher religiosa. Também fico porque, se todas as mulheres instruídas fossem embora, que esperança restaria às demais? É nossa responsabilidade trabalhar junto ao Taleban para conseguir melhorias.

Acredito que o destino de todos pertence a Alá.

Minha carreira está acabada. Já não sou mais a mesma pessoa: meu cérebro está cansado. O passado é o passado. Agora, tudo o que quero é encontrar uma maneira de oferecer algum futuro às meninas jovens. Neste momento, elas não têm destino. Eu preciso defendê-las. Se essa situação continuar, perderemos toda uma geração.

Dezembro de 1997

# DURKHANAI

é filha de Shafika Habibi. Conheci as duas em 1997. Shafika mudou-se para Peshawar em 2001, mas Durkhanai ainda vive em Cabul. Ela tem trinta anos de idade e é casada, com três filhos, de oito, cinco e um ano de idade. Seu marido é médico.

Quando éramos crianças, nossa vida era maravilhosa. Tínhamos uma boa casa e um alto padrão de vida. Viajávamos muito pelo Afeganistão e tínhamos casas em outros estados. Eu tive uma boa educação. Minha mãe é muito inteligente, e meu pai trabalhava como diplomata. Cabul era uma cidade muito rica, e os intelectuais daqui eram como os europeus.

Após completar meus estudos na Escola de Zargoona, freqüentei a Universidade de Cabul durante quatro anos e me formei em lingüística. O ensino era muito bom. As instalações da universidade eram excelentes, e os professores eram originários de países do mundo todo. Alguns deles estudaram nos EUA e na Europa. O curso de lingüística tinha nove matérias, e eu escolhi o inglês. Concluí meus estudos em quatro anos: composição, fundamentos e gramática. Depois disso, os professores me convidaram para lecionar na universidade. Disseram que minhas notas eram excelentes. Eu não queria aceitar. Era muito jovem, estava noiva e prestes a me casar. Meu noivo achou que eu era nova demais para dar aulas numa faculdade. Então, após me formar, trabalhei como professora em uma das escolas da cidade. Eu queria continuar lecionando, mas quando o Taleban chegou, há cinco anos, ficou impossível trabalhar. Éramos obrigadas a permanecer dentro de casa. Às vezes eu sonhava estar diante da lousa, mas após um certo tempo ficar dentro de casa tornou-se um hábito e um modo de vida.

Eu era muito triste nessa época, e cheguei a ficar deprimida. Achava duro demais obrigar uma mulher a ficar dentro de casa após seis anos de estudo. Que desperdício.

Quando o Taleban chegou a Cabul pela primeira vez, estávamos em casa. Meu marido entrou e contou sobre a grande mudança, e o enforcamento do Presidente Najibullah em praça pública. Ficamos muito impressionadas. Minha mãe disse, "Cubra-se com um véu grande e vamos olhar pela janela".

Vimos um homem lá embaixo, com um casaco preto e um grande turbante; ele espancou um guarda mujahideen com sua arma. Aquele foi o primeiro Taleban que vi.

O domínio do Taleban foi como um grande período de descanso para nós. Eu estudava em casa – aqui estão os meus livros. Tenho muita sorte em ter uma mãe como a minha. Ela foi uma grande inspiração. Era como nossa amiga. Nos dizia para estudar e aprender, e me ajudava com os livros da escola. Minha mãe foi apresentadora de TV durante trinta e quatro anos. Ela tinha apenas quinze quando começou! Quando éramos crianças, ela nos dizia para defendermos nossas vontades. Era muito politizada.

Permanecemos aqui durante o regime Taleban. As pessoas perguntavam, "Por que vocês ficam aqui, se podem ir embora?". Minha mãe respondia, "Eu fico porque quero compartilhar o sofrimento de meu povo". Poderíamos ter ido embora. Éramos ricos. Mas ela disse que ficar era nosso dever.

Hoje, não há problema em usar maquiagem ou qualquer tipo de sapato, mas durante cinco anos segui as leis do Taleban. De qualquer maneira, eu ficava a maior parte do tempo em casa, onde podia usar maquiagem. Já vi os Talebans espancando pessoas nas ruas para que rezassem. Homens eram levados à força para a mesquita.

Às vezes ocorriam confrontos em Cabul, e não nos sentíamos seguras na cidade. Nós só usávamos um véu durante o mês santo do Ramadã – nunca uma *burkha*! Meu marido viu os Talebans espancando uma menina. Ela estava completamente coberta por um véu, mas não usava a *burkha*. De acordo com o Islã, apenas a cabeça deve ser coberta, e não o rosto. Ficávamos espantadas com o tipo de islamismo que o Taleban seguia. Para nós, aquilo não era o Islã.

Nesses cinco anos, as pessoas perderam a coragem, e agora são como mortos-vivos perambulando por aí, cheios de tristeza. Não importava se você tinha instrução ou não, porque todos fomos colocados na mesma posição. Mas a cultura entrava em nossa casa através das nossas antenas parabólicas. Tínhamos duas antenas escondidas, e assim recebíamos informações da Grécia, China, Índia, Paquistão, França, Portugal, Inglaterra e EUA. Colocávamos cortinas na sacada. As antenas eram muito pequenas. Pendurávamos oleados ao invés de vidraças; pendurávamos também nossas roupas na frente das parabólicas, para escondê-las. Escondíamos as antenas até mesmo dos nossos vizinhos.

Se o Taleban continuasse, eu deixaria o país. Não conseguiria suportar. Mas meu marido sempre teve certeza de que o regime não duraria para sempre. Éramos como pássaros numa gaiola. Para mim, talvez, a gaiola fosse boa – meu lar era cheio de alegria. Aqui dentro, todos se amavam e ninguém passava fome. Mas, lá fora, a situação era terrível. Eu pensava nisso o tempo todo, e ficava deprimida por não ter um salário. Meu espírito era infeliz.

Meu sonho é ficar neste país. Amo meu país e quero que meus filhos sejam educados aqui. Agora que já tenho idade suficiente, quero trabalhar como professora na universidade, e quero paz. Quero que meu povo seja calmo, sem ansiedade quanto ao futuro. Será preciso muito tempo para reconstruir este país, mas a responsabilidade é nossa.

Confio plenamente no meu marido. Ficamos juntos durante todo esse período difícil, durante todas essas guerras. Quando meus pais foram embora para Peshawar, queriam que eu fosse com eles. Meu marido não podia ir por causa de seu emprego, e eu não podia deixá-lo aqui, então fiquei com ele.

O bombardeio dos EUA foi absolutamente terrível. Nós moramos próximo ao aeroporto, e eu fiquei muito preocupada com os meus filhos.

Todos os lugares ao nosso redor estavam sendo bombardeados – a estação de rádio, o aeroporto e a artilharia antiaérea. Os prédios tremiam, e quando os aviões dos EUA apareciam no céu os Talebans cortavam a energia elétrica, porque achavam que assim os norte-americanos errariam os alvos. Escutávamos rádio dezoito horas por dia: BBC e a Voz da América. Durante a última noite do regime Taleban, ficamos ouvindo rádio até as quatro e meia da manhã, quando eles finalmente foram embora. Naquele momento, meu marido foi ao banheiro e cortou sua barba.

Agora que o Taleban se foi, meu marido me pediu para queimar minha *burkha*, mas até agora eu me recusei. Os homens neste país estão sedentos por mulheres, e em algum momento teremos de ser fortes e dizer adeus às *burkhas*. Mas estamos no mês santo do Ramadã, e nesse período temos de ser mais respeitosas; no entanto, quando chegar o Eid [celebração de três dias marcando o término do Ramadã], nos livraremos de nossas *burkhas*.

A vida mudou bastante nos últimos tempos. Todos estão felizes e sentem-se livres. Podemos ouvir música. Eu ouço meu toca-fitas bem alto. Nos primeiros dias após a partida do Taleban, meus filhos me diziam, "Mãe, o toca-fitas está alto demais – os Talebans vão entrar aqui". Em toda a cidade de Cabul, as coisas estão mudando. As pessoas vendem televisores e parabólicas nas ruas. Isso era proibido. Os salões de beleza, que ficavam escondidos nas casas das pessoas, agora estão surgindo nas ruas. O cinema está aberto.

Quero que meus filhos tenham saúde e educação, e a liberdade de ir aonde quiserem. Nos últimos cinco anos, durante o regime Taleban, não existia esse tipo de liberdade. Às vezes, meus filhos me perguntavam se Bush não iria mandar mais aviões. Só espero que um pouco da alegria de minha infância seja possível para meus filhos.

Não sei quem acabará no governo do país. Só espero que seja um bom muçulmano, que as mulheres possam participar e desempenhar um papel dentro do próximo governo.

Hoje, supervisiono cursos de costura nas casas de meus vizinhos e cuido de uma pequena escola. Esses projetos já existem há um ano, apesar de não serem permitidos antes.

Eu gostaria de pedir às pessoas de outros países que ouvissem as vozes das mulheres afegãs. Precisamos dos nossos direitos. Existem pessoas muito pobres aqui, e temos de ser caridosas com elas. Os homens que continuam guerreando aqui no Afeganistão me deixam com raiva. Confio em Alá para que traga melhorias. Está nas mãos dele. Acho que tudo ficará bem no futuro, porque já não agüentamos mais. Nós, homens e mulheres jovens – este é o nosso país, nossa responsabilidade, nosso futuro, e permanecemos lado a lado. Somos como ferro derretido, e estamos mais fortes agora.

Agora livre para ouvir música, esta vendedora de chá usa seu rádio para atrair os fregueses.

# MAKY

## 2001

**MAKY tem quarenta anos de idade. Ela é casada, com dois filhos e três filhas. Ganha seu sustento fazendo *burkhas*. Grande parte do bordado é feita por máquinas, mas o desenho de um olho bordado no tecido tem de ser feito à mão.**

Eu sei que pode parecer estranho para vocês, mas fazemos essas coisas malignas para nos sustentar.

A *burkha* sempre foi uma tradição afegã, particularmente nas províncias. Cabul é o único lugar onde as mulheres deixaram de usá-la. Assim, mesmo que as mulheres de Cabul deixem novamente as *burkhas* de lado, ainda haverá uma grande procura por *burkhas* em outras regiões do país.

Também há uma demanda de exportação das *burkhas* para os refugiados afegãos no Paquistão.

Meu marido faz o que pode para sustentar nossa família. É um bom marido e um bom homem. Somos casados há vinte e dois anos.

O abraço do meu marido é muito bom.

# KHANEMGUL

## 2001

**KHANEMGUL tem sessenta e nove anos, seis filhas e três filhos. Um de seus filhos morreu, e sua esposa e filhos agora vivem com ela. Duas de suas filhas ainda vivem em casa. No total, há nove mulheres e quatro homens morando na casa.**

Eu me lembro do tempo do Rei Zahir Shah. As escolas estavam abertas e tudo funcionava bem. Nossas vidas eram boas. Lembro-me da primeira vez em que as mulheres tiraram as *burkhas*. O governo reuniu mulheres de todas as regiões e anunciou que podiam mostrar seus rostos. Isso foi em 1959. Eu morava em Helmand, perto de Kandahar.

Lembro de minha infância, aqui em Cabul. Meu pai trabalhava num dos palácios. Cabul era maravilhosa. Havia muitos intelectuais e a cidade era alegre. Existiam belos prédios aqui. Museus com esculturas e antigüidades. E lindos jardins cheios de plantas. No zoológico havia animais interessantes. Costumávamos ir aos jardins e ao rio; as mulheres faziam piqueniques no parque.

Hoje, quando vejo Cabul, sinto muita dor e tristeza. Estou envelhecendo nessa cidade destruída. Meus netos são analfabetos. Que esperança lhes resta? Eles só fazem brincar com lama no quintal. Não têm educação, e nossa vida é ruim. À noite não consigo dormir, fico ansiosa pelo futuro deles. Quando penso no passado, me lembro de como a cidade era bela, e não consigo acreditar no que ela se tornou.

Minha neta não consegue responder às suas perguntas. Ela não entende o que você está perguntando. Esse é o legado do Taleban. Ela não tem educação e não consegue raciocinar adequadamente. Todas as crianças perderam cinco anos de escola. Com esforço, talvez consigam compensar essa perda.

**Isso é o que seus netos têm a dizer: Homa, dezesseis anos: "Vou fazer o melhor que posso para compensar isso tudo"; Salma, catorze anos: "Quero ser comissária de bordo ou médica"; Soma, treze anos: "Eu quero ser jornalista"; Arezo, onze anos: "Quero ser jornalista"; Sona, oito anos: "Quero concluir minha educação e me tornar professora".**

Khanemgul

# PALWASHA

## 2001

PALWASHA tem vinte e seis anos de idade. Conheci Palwasha na casa de Mary MacMakin, em Peshawar. Enquanto conversávamos, os aviões de combate dos EUA sobrevoavam a cidade a caminho de ataques aéreos em Kandahar.

Trabalho com a PARSA desde 1997. Cheguei aqui vinda de Jalalabad. Quando eu era mais jovem, morava em Cabul com minha mãe, meu pai, duas irmãs e dois irmãos. Meu pai era policial militar, até a chegada dos mujahideen em Cabul. Sob o regime mujahideen, não podíamos nos locomover com liberdade porque cada área era controlada por um comandante diferente. Uma vez meu irmão foi preso e apanhou muito, porque nossa casa ficava numa área Hazara. Mas nós somos Pashtun!

O Taleban dominou outras províncias antes de chegar a Cabul. Eles mataram muita gente em outros lugares, e temíamos que isso acontecesse em Cabul. Mas, é claro, foi justamente isso o que aconteceu. Antes da chegada deles, eu dava aulas na escola do bairro. Fiquei com tanta raiva por ter de abandonar meus alunos que não conseguia dormir à noite. Eu queria ser uma boa pessoa, ajudar minha comunidade, e lecionar era uma maneira de fazê-lo.

Em agosto de 2000 eu saí de Cabul, após ter sido presa. Os Talebans vieram ao escritório da PARSA um dia, enquanto as mulheres estavam no banheiro. Nos preparávamos para rezar quando ouvimos o barulho. Eles abriram a porta. Eu disse, "Há mulheres aqui dentro, o que vocês querem?". Eles disseram, "Saiam já!". "Mas estamos sem as nossas *burkhas*", nós dissemos. Perguntaram onde estavam as *burkhas*, foram buscá-las e nos mandaram vesti-las. Ficamos com muito medo, porque não havia razão para a presença deles.

Eles deram ordens para sairmos do escritório. Nos recusamos a fazê-lo, então começaram a nos espancar com suas armas. Havia oito mulheres – quatro de nós foram espancadas. Eu perguntei, "Por que estão aqui?". Eles responderam, "Porque vocês ensinam o Cristianismo". Havia um Corão no escritório, mas havia também muitas revistas – dos EUA – sobre costura. Os Talebans disseram, "Vejam as mulheres nessas revistas. Elas não usam *burkhas*. Vocês colocaram o Corão aqui só para nos enganar". Eram tão ignorantes que confundiram nosso *laptop* com uma televisão!

Enfim, eles nos mandaram descer as escadas e entrar em seus carros. Nós dissemos, "Temos nossos próprios carros e não vamos entrar nos seus. Se quiserem nos levar a algum lugar, terá de ser em nossos carros". Eles aceitaram, mas um Taleban entrou conosco em cada um dos carros. Tentaram impedir Mary de entrar em nosso carro, mas ela começou a gritar; se eles queriam nos levar, teriam de levá-la também. Surraram Mary com um chicote e a jogaram dentro de um dos carros. Havia cerca de cinqüenta deles ao redor do prédio. Eles disseram que Mary era uma espiã que nos convertera ao Cristianismo e nos obrigava a ensiná-lo.

Nos levaram à prisão e nos jogaram num pequeno pátio. Muitas outras mulheres estavam ali, e o cheiro era horrível. Eu pensei, "Como vamos suportar isso aqui?". Estava muito nervosa. Perguntei, "Por que nos trouxeram para cá? Não fizemos nada de errado". Eles responderam, "Vocês estavam trabalhando, quando deviam estar sentadas em suas casas, esperando que Alá jogasse comida dos céus para vocês". Disseram que não éramos muçulmanas e que, se tivéssemos fé, Alá jogaria comida dentro de nossas casas: "Peça comida a Alá. Peça ao Mullah Omar. Não fale comigo. Você não tem fé".

Passamos quatro dias e três noites na prisão. Mary foi libertada após dois dias, mas recusou-se a ir embora antes que sua equipe fosse liberada também. Eles disseram, "Você não tem o direito de viver no Afeganistão, e tem vinte e quatro horas para deixar o país". Alguns norte-americanos vieram à prisão e disseram a eles para nos soltarem. Isso incomodou os Talebans, e quatro dias depois fomos liberadas. A notícia da prisão de Mary espalhara-se por outros países, e eles temiam a pressão internacional.

Ficamos muito contentes por estarmos finalmente livres, porém Mary foi obrigada a deixar a cidade imediatamente. Ela só teve tempo para recolher alguns poucos pertences antes de sair de Cabul. Uma semana depois, também fui embora. Os Talebans tinham nossos endereços, e temíamos o que poderia acontecer. Naquele tempo, era fácil cruzar a fronteira entre o Afeganistão e o Paquistão; eles nem pediam passaportes. Era só sentar no ônibus e atravessar a fronteira. E foi isso o que fiz.

Após quatro anos morando no Paquistão, eu voltei a Cabul. Trabalhei secretamente em alguns projetos de tapeçaria da PARSA. Eu estava em casa quando os bombardeios começaram, e nós ficamos empolgadas. Pensamos, "Em dois ou três dias o Taleban será derrotado". No início ficamos com medo, é claro, mas depois vimos que os norte-americanos estavam atingindo os alvos. Escutávamos a BBC e outros noticiários para saber o que estava se passando. Ouvíamos pessoas no rádio dizendo, "Não tenham medo". Eles diziam que precisavam combater o Taleban, mas não queriam nos ferir.

Não queremos essa visita, Osama bin Laden, aqui no Afeganistão. Consideramos os Talebans como terroristas por trazerem-no ao nosso país. Se eu pudesse, mataria bin Laden e os Talebans.

Ninguém teve raiva dos EUA. Nós queríamos a ajuda deles. Mas, depois de alguns dias, quando eles atingiram algumas casas, sentimos raiva; nada daquilo era culpa nossa. Eu permaneci aqui durante um mês, durante os bombardeios, porque era muito difícil deixar a cidade.

Finalmente, quatro membros da minha família e eu decidimos ir embora. Às quatro e meia da manhã, saímos de Cabul e fomos de ônibus para Torkham. Muita gente queria sair do Afeganistão. Sentimos medo quando nos aproximamos de Jalalabad, porque os norte-americanos estavam bombardeando a área. O motorista do ônibus disse, "Vamos rápido para não morrer". Ao chegar, vimos que os portões da fronteira estavam fechados, e tivemos de voltar. As coisas haviam corrido tão bem até ali! Voltamos ao pé da montanha até uma rota clandestina. Deixamos o ônibus ali e começamos a caminhar. Um membro de nosso grupo não conseguia andar, então levamos um burro de carga para ele. Meu irmão pegou a minha mão e me puxou montanha acima; a subida era muito íngreme. Eram três horas da tarde, e muita gente atravessava aquela montanha. Andamos sobre a montanha durante horas até estarmos em segurança. Em seguida, encontramos um ônibus para nos trazer a Peshawar.

Meu maior desejo é que haja paz no Afeganistão. Não consigo imaginar o Afeganistão em paz. Nem mesmo em meus sonhos. Isso só será possível com a ajuda dos EUA, e se o mundo não nos esquecer como antes.

Minha mensagem às mulheres é para que pensem primeiro nas questões mais importantes: estudar e trabalhar. Elas não devem pensar em luxo e moda. Nosso país é pobre, e o Afeganistão precisa das mulheres para ajudar na reconstrução do país.

# HAMIDA

## 2001

**HAMIDA** tem quarenta e três anos de idade, e trabalhava como costureira e tapeceira. Ela tem cinco filhos.

Antes da morte do meu marido, há onze anos, eu trabalhava em casa, costurando para pessoas do bairro. Meu marido era um oficial do alto escalão do governo, e naquele tempo vivíamos bem. Morávamos aqui nesta casa e nossa vida era boa. Agora, tenho dois meninos e três meninas para sustentar sozinha.

Eu trabalhava para a CARE (uma organização não-governamental norte-americana) antes da chegada do Taleban. Costurava, bordava e ensinava meninas a costurar. Dezessete dias após a chegada do Taleban, eles acabaram com o projeto e enviaram uma norte-americana da CARE às nossas casas para retirar nossas máquinas de costura. Ela estava constrangida, disse não saber o que estava acontecendo ou se nos veríamos novamente. Eu fiquei muito infeliz. Voltei a costurar e também fazia comida para meus filhos venderem no bazar: *pacora* [batatas e carne com pão] e *burlani* [alho-porro e espinafre com pão]. Eu odiava os Talebans por me impedir de trabalhar. Hoje em dia, ganho cerca de vinte dólares por mês. Com esse dinheiro, consigo sustentar minha família, mas é muito pouco para sobreviver.

Um dia, fui ao mercado para comprar farinha. Havia uma grande aglomeração de pessoas ao lado da loja, inclusive muitos homens. De repente, alguns Talebans chegaram e me bateram nas costas e nas pernas. Eles me cortaram muito com seus chicotes. O espancamento durou dois ou três minutos. "Por que você está com todos esses homens?",

Hamida em 1977.

eles gritavam. "Você não os conhece!". Tentei explicar que só queria comprar farinha, mas eles fingiam não entender o que eu dizia, apesar de obviamente compreenderem o Dari. Tenho esta cicatriz em minha perna como lembrança. Outro dia, vi alguns deles espancando um menino muito novo por carregar um rádio. Eu peguei uma pedra e gritei, "Parem de machucar esse menino, ele é jovem demais!". Um daqueles homens selvagens pegou uma pedra grande e atirou-a na minha direção. Ele não me atingiu, mas acertou minha vizinha no rosto. Ela sangrou muito.

Pedi asilo na Dinamarca e na Suécia, mas ambos os países me rejeitaram. Agora que não há mais Taleban, vou ficar no meu país. Tenho fé, sei que as coisas vão melhorar agora que eles se foram.

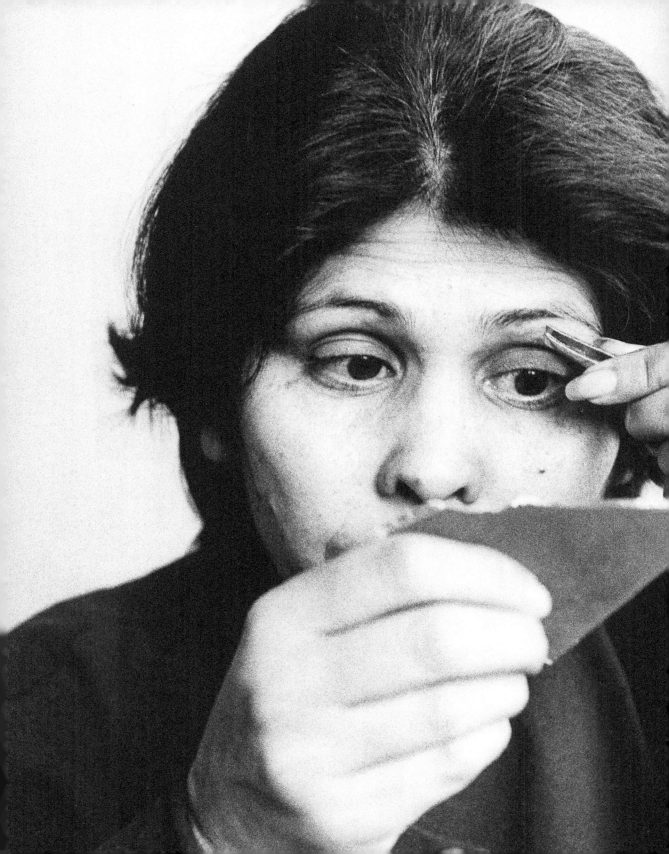

# ANISA

## 2001

ginásio. Ela mora no Microrayons, em Cabul, com seu segundo marido e seis filhos: cinco meninos e uma menina. Anisa tem uma presença marcante; disse imediatamente que tinha a intenção de jogar fora sua *burkha*. Ela já fora ao mercado para comprar um véu e usá-lo na rua, ao invés da *burkha*.

Em minha primeira visita ao seu apartamento, Anisa me mostrou fotografias antigas de si mesma. Durante minha segunda visita, ficou arrancando as sobrancelhas enquanto conversávamos.

ANISA tem trinta anos e era professora do

É um grande prazer conhecê-la.

Nasci e cresci em Cabul. Minha infância foi feliz. Cabul era fantástica naquela época, havia muita coisa para se fazer. Podíamos ir a concertos, cinemas e restaurantes.

Era uma linda cidade, com universidades, parques e belos prédios. Nossa vida era tão boa quanto a de vocês.

Eu me sentia como uma ocidental durante o regime comunista da década de 1980. Em Cabul podíamos fazer de tudo, como as mulheres do seu país. Olhando para essas fotos antigas, não consigo acreditar que usava essas roupas – vestidos, saias curtas e camisetas apertadas. Quando meus filhos vêem essas fotos, não acreditam que esta é sua mãe! Já não uso essas roupas há dez anos.

Durante a invasão russa ocorreram confrontos no resto do país, mas não em Cabul. Foi então que perdi meu primeiro marido. Ele era um soldado durante o regime comunista – um homem muito politizado. Foi morto em Jalalabad. Um ano após sua morte, me casei com o irmão dele. Meu segundo marido trabalha como desativador de minas para a Halo. Ele faz isso há três anos, e eu me preocupo o tempo todo com a segurança dele.

Quando os mujahideen dominaram Cabul, fiquei muito infeliz. Eles nos obrigavam a usar um véu, e eram muito mais rígidos com relação às vestimentas do que os comunistas. Eu estava acostumada a usar roupas ocidentais, e foi estranho me ver obrigada a usar um véu de repente. Eu não levava o *hejab* (véu) muito a sério no tempo dos mujahideen; apenas enrolava o véu em meu pescoço, como um cachecol. Eles não eram tão rigorosos quanto a cobrirmos nossas cabeças. Não podíamos exibir nossas pernas, mas usávamos roupas apertadas e assim podíamos mostrar nossos corpos. O problema é que não nos sentíamos seguras no tempo dos mujahideen. Havia muitos assaltos, e os soldados estupravam as mulheres. Cabul tornou-se uma cidade sem leis, vivíamos com medo do que poderia nos acontecer.

Alguns homens armados levaram embora uma garota que morava aqui no Microrayons, só porque a desejavam. Eles a viram na rua e descobriram onde morava. Mas, ao invés de render-se a eles, a garota se atirou da janela do sexto andar de um prédio e se matou. Ouvíamos histórias perturbadoras como essa, mas a vida era boa. As meninas iam à escola normalmente.

É claro, havia confrontos dentro e ao redor de Cabul. Mesmo aqui no Microrayons, dife-

Anisa em 1988.

rentes facções dos mujahideen lutavam entre si. Estavam sempre em guerra. Mas aquilo logo se tornou normal para nós, e aprendemos a adaptar nossas vidas à situação. Era perigoso viver nessa cidade. As bombas caíam em todo lugar.

A destruição que você está vendo agora começou aos poucos. Fiquei muito nervosa no começo. A cidade começou a desmoronar. Prédios eram atingidos e, é claro, nem pensávamos em ir ao cinema, a restaurantes ou coisas do tipo. Só pensávamos nas vidas de nossos familiares. Minha família não tinha dinheiro suficiente para sair do país, então ficamos aqui. É incrível a rapidez com que uma cidade pode ser reduzida a ruínas.

Antes da chegada dos Talebans, acreditávamos que eles eram enviados do Rei Zahir Shah, que seriam bons e benevolentes. Mas eles chegaram com suas barbas compridas e turbantes negros, mataram o presidente Najibullah e muitos mujahideen. Eu nem tinha uma *burkha*, então tive de emprestar uma da vizinha, ir ao bazar e comprar uma para mim. Muitas outras mulheres no bazar xingavam os Talebans e compravam, pela primeira vez, aquelas coisas ridículas e repressivas. Eu me senti péssima usando aquilo, e ainda me sinto. A *burkha* me dá dor de cabeça, porque é muito apertada.

Um dia, enquanto caminhava sozinha pela rua, uma das pernas da minha calça ergueu-se um pouco. Eu nem percebi, mas um deles viu, correu em minha direção e começou a me surrar com um chicote. Eu nem percebi que minhas pernas estavam à mostra! Fiquei humilhada e com medo.

Esta é minha única filha, Sarah. Ela tem um ano e meio de idade. Espero que tenha sorte e que jamais conheça ou se lembre dessa época ruim. Ela é muito nova. Espero que possa estudar e tenha direito a uma vida livre e boa.

Não estou confiante com relação ao futuro. Muita coisa mudou nesses últimos anos. Cada vez que eu começava a ficar feliz, as coisas pioravam, então não consigo mais ter esperança.

Já me acostumei com o fracasso desse país nas tentativas de melhorar a situação.

# SANAM

**2001**

Meu nome é Sanam e minha boneca de cabelos negros chama-se Sadaf. Tenho nove anos de idade.

Agora posso passear com a minha boneca sem medo, mas há apenas um mês, quando os Talebans estavam aqui, eu precisava esconder minha boneca atrás de mim, porque se eles a encontrassem, teriam me batido.

Posso andar livremente com a boneca agora, e estou muito feliz com isso.

Quero voltar à escola agora que os Talebans se foram, e quando terminar a escola, eu quero ser médica.

Minha outra boneca chama-se Solhaila, mas a minha predileta é a boneca nova – ela ainda não tem nome, porque meu tio me deu ela de presente na quinta-feira da semana passada.

# LATIFA

## 2001

**LATIFA tem quarenta e sete anos e vive com seu marido e seis filhos.**

Perdi o meu pé durante a guerra. Pisei numa mina há cerca de dez anos, com trinta e sete anos. Eu estava andando numa área minada, sem saber; uma mina explodiu e perdi meu pé. Devido à minha condição, ficou muito difícil usar a *burkha*. Assim, em quatro anos de regime Taleban, só saí de casa quatro vezes. Meu marido ia ao mercado para comprar aquilo de que precisávamos. Nas poucas vezes em que saí, fui comprar roupas de baixo. Naquelas quatro ocasiões, usei apenas um véu, e não uma *burkha*, e me senti paralisada pelo medo do que poderia me acontecer.

Eu me formei em Direito na universidade, e trabalhava no Ministério da Justiça antes que fôssemos proibidas de trabalhar. Em casa, eu não podia fazer nada. Ficava entediada e frustrada. Que desperdício terrível, depois de tanto estudo! Há dois dias, voltei a me registrar para trabalhar como advogada.

Tenho muito ódio dos Talebans – eles foram os mais cruéis em todos esses longos anos de guerra. Espancaram brutalmente uma de minhas filhas. Estavam distribuindo comida e, no tumulto, atingiram minha filha no rosto, quebrando seu nariz.

Os Talebans não devem participar do novo governo – eles são como um grupo de turistas. Há Talebans árabes, chechenos e paquistaneses – não são afegãos –, então por que deveriam participar do novo governo? Estamos contentes com a ajuda dos EUA para destruir o Taleban e trazer paz ao Afeganistão. Gostaríamos que os EUA participassem da reconstrução de nosso novo governo.

Eu peço que o novo governo leve em consideração que as mulheres constituem muito mais de metade da comunidade. Merecemos nossos direitos. Eu quero um governo heterogêneo. O povo afegão já sofreu demais, e o novo governo não pode discriminar entre as diferentes tribos. Eles têm de dividir o poder com igualdade.

Às mulheres de todo o mundo: por favor, ajudem as mulheres afegãs. Acabamos de sair à luz após um longo período de escuridão. Por favor, não se esqueçam de nós. Aprendam conosco, para que nosso sofrimento não se repita jamais.

# NAHED

## 2001

NAHED **tem trinta e dois anos de idade. Eu a entrevistei em Peshawar. Ela é professora e supervisora das escolas de Cabul.**

Eu só me lembro de bombardeios e confrontos, de quando era garotinha. Tive uma educação normal, mas algumas vezes era difícil estudar, quando não havia eletricidade. Completei meus estudos no departamento de literatura da Universidade de Cabul. Tive de usar próteses nas pernas quando criança. Quando ia à universidade, temia que as pessoas rissem de mim, por isso deixei de usar as próteses. Agora, minhas pernas e coluna doem, principalmente quando trabalho demais. Obviamente, é difícil encontrar um bom médico para me tratar hoje em dia.

Quando freqüentava a universidade eu usava calças, camisas e sapatos, exatamente como você. Gostei muito dos seus sapatos. Eu me lembro de quando usava sapatos assim.

Antes do Taleban, os homens afegãos diziam que as mulheres daqui tinham seus direitos, mas não é verdade. Segundo a nossa tradição, os homens nunca devem dar direitos iguais às mulheres. Isso não vai mudar – até os homens instruídos do país têm esse preconceito. E, mesmo se eles permitirem que as mulheres trabalhem ou façam parte do governo, a situação em nossas casas continuará a mesma. No Afeganistão, as mulheres são consideradas propriedade dos homens. Nossos esposos e pais têm o direito de impedir que as meninas freqüentem a escola, entre outras coisas. As mulheres devem trabalhar dentro e fora do lar. Os homens esperam que suas esposas e filhas façam tudo por eles. Se a mulher faz algo errado, o homem tem o direito de espancá-la. Não podemos fazer nada a respeito. Isso é normal aqui. Todas nós apanhamos dentro de casa: meus irmãos já me bateram muitas vezes. Por isso, odeio homens e gostaria de nunca me casar.

Recentemente, consegui um emprego trabalhando como supervisora das escolas da PARSA. Eles coordenam quarenta e uma escolas, que ensinam de setecentas a oitocentas meninas! Os Talebans descobriram muitas escolas secretas nas casas das professoras e as fecharam. Assumi o risco de lecionar porque meu pai estava morto, e eu não queria que minha mãe tivesse de se arriscar a trabalhar. A vida era muito difícil. Cabul era como uma prisão, e eu simplesmente queria ir embora para outro lugar – algum lugar onde eu fosse livre para trabalhar e estudar.

Um dia, eu estava num ônibus que tinha cortinas na seção feminina. Todas as mulheres dentro do ônibus, inclusive eu, tinham os rostos à mostra [com as *burkhas* erguidas]. A polícia do Vício e Virtude nos avistou de alguma forma, apesar das cortinas, entrou no ônibus e bateu em todas nós com bastões. O trabalho deles era espancar mulheres que fizessem algo de errado.

Eu não quero que o Taleban exista mais. Porém, não é tão simples assim. Vinte e três anos de guerra. Perdemos todas as coisas básicas – educação, economia, infra-estrutura –, tudo se foi. Todos perderam familiares e amigos.

Fico muito triste com tudo isso. Antigamente, acreditávamos que nosso país seria um dos melhores do mundo, mas agora temos de começar do zero novamente. Eu sou uma das mulheres que querem trabalhar e participar da reconstrução do meu país, lado a lado com os homens.

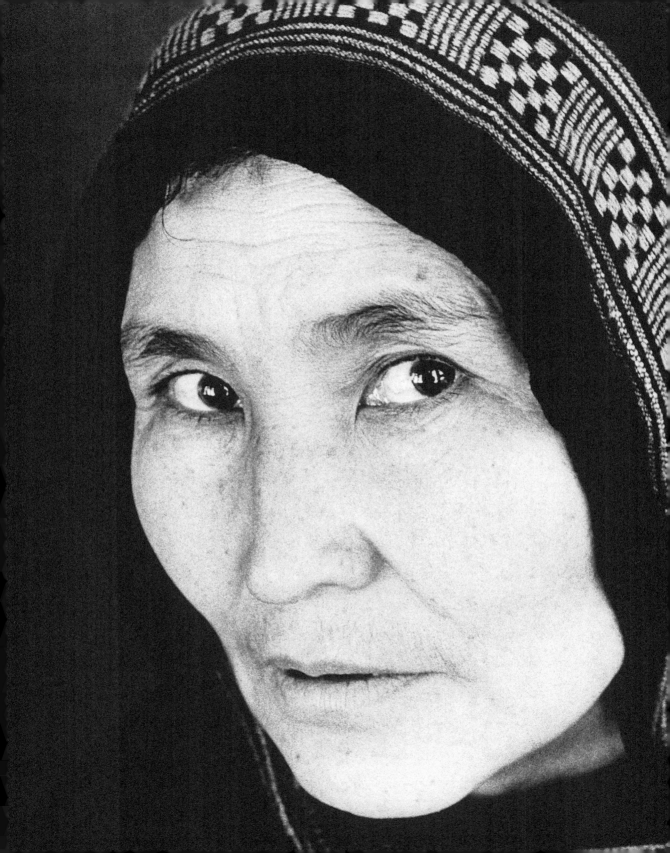

# SHAMA

## 2001

**Quando cheguei a esta casa Hazara, as mulheres hesitavam em me dizer seus nomes. Por muitos anos, os membros da tribo Hazara, uma minoria no Afeganistão, foram perseguidos, e agora não confiam em ninguém de fora.**

O Taleban era contra nós [da tribo Hazara]. Eles não nos queriam vivendo livres no Afeganistão. Eles só queriam o povo Pashtun aqui. Mas só dez por cento da população é Hazara, e nós sempre vivemos neste país. Minha família vive em Cabul há cinqüenta anos. Todos os nossos filhos foram criados aqui. Meu marido é motorista e sustenta a família. Mas não existem bons empregos por aqui.

A discriminação contra nós tem sido constante. Muitos de nossos amigos e vizinhos Hazara tiveram experiências ruins, principalmente nos últimos cinco anos. Todas as casas Hazaras foram invadidas por membros do Taleban. Eles puseram muitos homens Hazara na cadeia. Muitas mulheres Hazara foram estupradas por Talebans. Quando seus maridos tentavam evitar que isso acontecesse, eram espancados e, algumas vezes, mortos.

Durante cinco anos, convivemos com eles nos roubando, estuprando nossas mulheres e matando nossos homens. Então, é claro que estamos contentes com a derrota deles. Mas ainda é muito difícil sentir que somos aceitos como parte integrante do país. Já vivemos perto do povo Pashtun e do povo de Kandahar; no passado, isso nunca foi problema. O Taleban nos fez sentir como se fôssemos um problema, e ainda tememos a volta deles.

Vocês precisam compreender as coisas que fizeram conosco. Houve massacres, como o de Dasht-e-Leili, em que eles mataram centenas de pessoas.

Alá me deu estes filhos. Eu me preocupo muito com eles – os meninos e as meninas – e me preocupava com o que o Taleban poderia fazer com eles. Meu filho foi preso em Kandahar. Eles vieram à nossa casa e o levaram, sem motivo algum. Ele passou sete meses na cadeia. Durante esse período, foi espancado e tomou choques elétricos. Chegou a ficar sem comida por doze dias seguidos. Agora ele fica em casa, na cama, e não consegue fazer nada.

Quando as bombas começaram a cair ficamos muito felizes, mesmo quando caíam próximas a nós. Sabíamos que era o fim do Taleban. E esse era o fim da nossa dor. Por isso, não tivemos medo algum.

# LAILA

## 2001

LAILA tem dezenove anos de idade. Ela é cabeleireira. Seu salão funciona num quarto dentro de sua casa de portões pesados.

Muitas mulheres vieram cortar seus cabelos enquanto conversávamos com ela. Todas concordaram em ser fotografadas, mas cinco minutos após sair, uma delas voltou, visivelmente amedrontada. Seu irmão ficou muito nervoso quando descobriu que ela se deixara fotografar por uma ocidental. Ela tinha medo da reação de seu marido, caso ele descobrisse, então demos a ela um rolo virgem de filme fotográfico, para satisfazer seu irmão e evitar que ele informasse o marido dela. Prometemos a ela que suas imagens não seriam usadas. Ela estava constrangida e envergonhada, e disse, "Os Talebans se foram, mas muitos de nossos maridos são piores".

No tempo dos mujahideen, fiz um curso para cabeleireira. Eu era muito jovem e ansiosa para aprender o ofício. Desde garotinha, eu sempre quis cortar cabelos e criar penteados. Havia um salão perto de minha casa, e eu assistia às noivas cortando seus cabelos ali. Elas sempre ficavam lindas, então prometi a mim mesma que um dia aprenderia a fazer aquilo também.

Fiquei muito infeliz quando os Talebans estavam aqui, porque não podia trabalhar livremente. Eu cortava o cabelo das mulheres aqui, dentro de casa. De certa forma, podíamos trabalhar normalmente, apesar do medo de sermos flagradas. Uma mulher trabalhava como cabeleireira em Cabul; os Talebans descobriram e a espancaram, e também seu marido. Depois disso, eles foram morar no Paquistão.

Abrimos este salão em 1995, e ele sempre teve a mesma decoração, a não ser por esses quadros indígenas. Você não vai acreditar, mas os Talebans traziam suas mulheres aqui! Eles nos proibiam de trabalhar e queriam que cortássemos os cabelos de suas esposas! Tudo era assim – eles censuraram a música, mas ainda assim a escutavam. Eu simplesmente não entendo o modo de pensar e agir daqueles homens. As motivações para seus atos são um mistério. No começo, não percebemos que aquelas eram as esposas dos Talebans. Mas então as mulheres disseram, "Se tiverem problemas , nós podemos ajudá-las". Elas tinham dinheiro, e sabe o que mais? Elas caminhavam até seus carros sem *burkhas*, usando somente pequenos véus. Elas podiam fazer coisas com as quais sequer sonhávamos.

Minha ambição é continuar em meu emprego. Sou casada e tenho uma filha de dois anos e meio. Meu marido ganha bem como costureiro. Ele fica feliz porque faço o que gosto, e me apóia. Somos casados há três anos e meio. Muitas garotas jovens casaram-se durante o regime Taleban. Ficar em casa tornou-se o seu modo de vida. Esqueça as carreiras; elas regrediram. Minha família queria que eu me casasse. Meu marido tem vinte e cinco anos e é um bom homem. Tenho amigas cujos maridos só fazem reprimi-las. Isso é pura insegurança. Meu marido não é assim.

Eu gostaria muito de viajar para o exterior. Quero ir a países ocidentais, como os EUA. Não estou interessada nesses países asiáticos – não quero ir ao Irã ou Paquistão. Os EUA são um país avançado, e as pessoas são livres. São pessoas muito instruídas, e o país é lindo. Eu já ouvi música norte-americana, mas não entendo o que eles dizem. Não tenho mais fitas cassete. Assisto a filmes dos EUA, como *Titanic* e *Rambo*. Assistimos a um pouco de TV norte-americana pelo satélite. Tenho familiares que foram viver nos EUA, mas não recebo mais notícias deles. Acho que estão se divertindo tanto que se esqueceram de nós, aqui no Afeganistão.

Eu aposto que, quando as escolas e escritórios começarem a funcionar adequadamente, as mulheres deixarão de usar suas *burkhas*. As mulheres daqui querem ser mais elegantes. Elas entram no salão, vêem as fotos que temos de mulheres indianas, e pedem que eu deixe seu cabelo como o delas. Preity [Zinta, modelo e atriz indiana] é uma das prediletas. E, principalmente, Kate Winslet em *Titanic*. Nós gostamos muito do visual dela e muitas mulheres dizem, "Quero um corte *Titanic*". As pessoas não são muito informadas, mas estão famintas por influências como essas.

Antes do Taleban, as pessoas não copiavam tanto o mundo exterior. Agora, as imitações estão em todos os lugares. As mulheres passaram tempo demais dentro de casa, sem nada para pensar, a não ser em sua aparência. A maquiagem tornou-se um símbolo de desafio durante a época do Taleban, e as mulheres começaram a usar muito mais. Antes, elas tinham outras coisas em que pensar, como seus empregos.

Agora, podemos voltar à nossa maneira antiga de viver. Acho que as mulheres logo passarão a usar menos maquiagem novamente. As mulheres vêm ao nosso salão para se maquiar, e você não acreditaria na quantidade de maquiagem que estão acostumadas a usar, do tempo do Taleban!

Espero que as mulheres de outros países nos ajudem a transmitir a mensagem de que merecemos nossos direitos. Queremos que nosso governo seja pressionado no sentido de respeitar os direitos das mulheres. Vamos lutar para conquistar nossos direitos, mas é difícil fazê-lo agora porque vivemos temendo os homens por muitos anos.

Após o Ramadã, pretendemos transferir o salão para a rua principal. Não somos mais obrigadas a ficar atrás desses portões. E já encontramos um ótimo lugar para abrir nosso novo salão.

# AGRADECIMENTOS

OBRIGADO à minha mãe, Deborah, por cuidar dos meus filhos enquanto estive longe, e por nunca demonstrar medo diante do meu trabalho. Aos fotógrafos da Network Photographers, por seu apoio e empenho em me ajudar, especialmente Graham e Sam. A Mary MacMakin e às mulheres da PARSA, por sua coragem e auxílio, e a Aidan Sullivan por me enviar para lá pela primeira vez. A Jenny Matthews, Simon Norfolk e Nikolai Ignatiev, que foram ótimos companheiros de viagem. A Roya, minha intérprete, e Fahrid, pelas horas intensas em Cabul. Ao engenheiro Abdul Ghaffar, pela segurança e amizade. A Robin Bell, pelas duras horas de trabalho e pela linda impressão em branco-e-preto, trabalhando sem parar no Natal ou no Ano Novo, e a Jim Silverstone da Outback, pelo trabalho em cores. A Sarah Spence, pela ajuda na organização do texto. À ReganBooks, por fazer tudo isso acontecer, e especialmente a Aliza Fogelson e Dan Taylor, pelo trabalho de edição.